« Les Mardis de la philo »

*Collection dirigée
par Florence de Lamaze et Antoine Caro*

DU MÊME AUTEUR

Romans

Descente, Flammarion, 1999
Les Infidèles, Flammarion, 2002

Essais

Une Semaine de philosophie, Flammarion, 2006,
J'ai lu, 2008
Les Philosophes sur le divan, Flammarion, 2008,
J'ai lu, 2010
Ceci n'est pas un manuel de philosophie,
Flammarion, 2010, Librio, 2011
Qu'est-ce qu'avoir du pouvoir ?, Desclée de
Brouwer, 2010
Un homme libre peut-il croire en Dieu ?,
Éditions de l'opportun, 2012

Bande dessinée

La Planète des sages, avec Jul, Dargaud, 2011

CHARLES PÉPIN

QUAND LA BEAUTÉ
NOUS SAUVE

ROBERT LAFFONT

ISBN 978-2-221-11408-7

À ma mère

Commencez par imaginer une femme. Elle conduit une petite voiture de ville, se laisse porter par le mouvement irrégulier de l'embouteillage. Elle a mal au dos, un peu plus encore que les jours précédents. Il y a surtout ce point, en bas à droite, ce point comme une sale présence, un clignotant, ce point que même l'ostéopathie échoue à soulager. Elle ne supporte plus son métier, encore moins ceux qu'il l'oblige à côtoyer, il faudrait trouver la force d'en changer, elle le sait. Mais le savoir ne suffit pas. Peut-être reproche-t-elle à l'homme qui rentrera, ce soir, à peu près en même temps qu'elle, de ne pas la lui donner, cette force, peut-être lui reproche-t-il, à elle, de ne pas la trouver, elle ne sait plus.

Elle ne sait plus qui reproche quoi à l'autre. Les enfants ont grandi : impossible de les prendre dans ses bras en rentrant, de les pétrir comme de la mie tiède pour se remplir de toute la force qui manque – à la place des deux petites boules de mie, deux gigantesques ados ont poussé. L'automobiliste devant elle vient de freiner au dernier moment, elle l'évite de justesse en écrasant la pédale de frein et c'est alors qu'elle sent, plus pointu que jamais, plus meurtrier, le petit poignard en bas à droite de son dos – à cet instant précis, elle pourrait pleurer ; elle pourrait pleurer si elle avait encore assez de vie en elle. Elle pourrait pleurer mais elle ne pleure pas. Elle ne remarque même pas ses doigts, sur l'autoradio, qui font défiler les stations, elle n'entend ni les jingles agressifs ni les pubs pour les hypermarchés, elle n'entend plus rien, absente à elle-même, absente au monde. Et puis, soudain, au hasard d'un changement de station, surgit la voix de Michel Berger : sa voix qui la prend tout de suite, portée par quelques notes de piano, sa voix qui lui parle sans même qu'elle écoute les paroles, cette mélodie qui la remplit. En elle, d'un seul coup, quelque chose se ras-

semble, se fluidifie. L'apaisement est total :
« C'est beau. » Le temps de cette émotion esthétique, plus rien n'existe. Elle est tout entière
convoquée, tout entière là, enfin présente à elle-
même et au monde. C'est beau. Qu'est-ce qui
est beau, au fait ? La musique, ou ce qu'elle lui
fait ? Nous en reparlerons.. Cette émotion ne
durera pas, mais elle ressemble à l'éternité. Ce
plaisir esthétique est comme un indice, une promesse. La beauté de cette chanson lui souffle
que tout n'est pas perdu, rallume au fond d'elle
un vieux feu mal éteint : son exigence. Ce
qu'elle exige d'elle-même ; ce qu'elle demande
à la vie. Elle s'appelle Lucie. Et c'est comme si
la beauté la sauvait de son renoncement.

Sur le trottoir, non loin d'elle, un homme
qu'elle ne connaît pas. Séduire les femmes est
sa passion. C'est même quasiment un métier,
une pathologie. Il maîtrise les phrases d'accro-
che, les stratégies d'approche, il sait les rassurer
beaucoup, les effrayer juste ce qu'il faut. Il les
repère dans la rue, les magasins, dans des
dîners, des réunions de travail. La rencontre est
sa drogue dure, c'est plus fort que lui. Mais là,

sur le trottoir, il se produit quelque chose d'inédit. Une femme vient de sortir d'une boulangerie. Elle est brune, en tailleur, rejoint sa voiture
d'un pas rapide avec une mèche qui lui barre la
joue. Pour une fois, il n'a pas envie de la suivre,
ni de trouver la bonne phrase, il n'a pas envie
de la séduire ; il veut juste la regarder. Le balan-
cement de sa démarche, sa silhouette... Il
éprouve une joie étrange à se dire que cette
contemplation lui suffit, qu'il est capable de ce
plaisir désintéressé. La beauté de cette femme
se déploie devant lui : il ne demande rien de
plus. Il ne détaille pas les différentes parties
de son corps, ne se demande pas comment
l'aborder ; il éprouve un plaisir particulier à
aimer la regarder sans avoir envie de coucher
avec elle. Voici l'expérience esthétique : la
contemplation de la beauté nous remplit parfaitement. De sentir qu'il est autre chose qu'un
chien lancé sur les trottoirs en quête de corps
nouveaux lui fait du bien. Il reste immobile longtemps, fasciné, un sourire aux lèvres tandis
qu'elle s'éloigne. Le chien est aussi un esthète, il
l'avait oublié. Nous avons besoin de la beauté
pour nous souvenir de ce que nous pouvons être.

L'embouteillage s'intensifie à la hauteur du musée d'Orsay. L'animateur radio a interrompu la chanson française avant la fin pour caser une mauvaise blague. Lucie songe qu'il faut payer les cours de danse de sa fille et essayer de se faire rembourser sa dernière séance d'ostéopathie. Elle ne sait pas que dans ce musée, quelques heures auparavant, son fils a recherché les œuvres de Courbet, la tête pleine de tout ce que lui avait raconté un de ses professeurs, notamment sur *Un enterrement à Ornans* comme acte de naissance du réalisme. Parvenu devant la fameuse toile de Gustave Courbet, il n'a ressenti aucune émotion, même s'il a reconnu ce dont on lui avait parlé. On lui avait tellement dit pourquoi c'était beau qu'il ne pouvait plus trouver beau ce tableau, il n'y avait plus d'espace pour son émotion, pour son jugement. Rebroussant chemin, l'esprit déjà tout occupé à ce qu'il fera dehors, il passe au hasard devant un Van Gogh : *Terrasse de café la nuit*. Ce jaune orangé, le bleu sombre de la nuit au-dessus, ces formes tremblées… Il s'arrête, subjugué. Il ne connaît pas ce tableau, n'en a jamais entendu parler. La beauté bizarre le prend par surprise, l'arrête dans sa hâte vers la sortie. Il aime ce voyage intérieur que lui offre la beauté, il aime la liberté qui est la sienne à cet instant précis : c'est lui qui trouve cette œuvre belle, pas son professeur. Il aime sa certitude aussi, la confiance qu'il a en son libre jugement : c'est beau, aucun doute là-dessus. Lui qui doute si souvent de tout, à cet instant précis, il ne doute plus. C'est cela, aussi, que la beauté nous fait parfois : elle nous redonne notre liberté, notre pouvoir, notre capacité à nous faire confiance – à *nous écouter*.

La beauté ? Oui, toute la beauté. La beauté d'un ciel de montagne, la beauté de falaises tombant dans la mer comme celle d'une mélodie surgie de l'autoradio, la beauté d'un tableau comme la beauté d'un homme, d'une femme, d'une église ou même d'un objet, la beauté, les beautés, toutes les beautés : ce qui nous intéresse ici n'est pas ce qui fait que c'est beau, mais ce que la beauté nous fait. Nous n'allons pas partir en quête des critères du beau, de ses différentes définitions à travers les âges, nous n'allons pas chercher à découvrir le secret des chefs-d'œuvre, ou à retrouver le fameux nombre d'or dans la beauté des proportions, ni nous demander si le visage de Dieu se cache derrière la beauté des cimes enneigées. Peu importe, ici, *ce qui fait que c'est beau*. J'ai eu envie d'écrire ce livre pour montrer à quel point *ce que la beauté nous fait* peut nous aider à vivre. Je me souviens qu'adolescent, égaré comme on l'est parfois à cet âge, la beauté de certaines musiques m'avait aidé à me trouver, à me découvrir, peut-être même à m'inventer. Je me souviens qu'à l'enterrement de quelqu'un que j'aimais j'avais observé, au-dessus des tombes, le ciel d'une beauté troublante, et que cette vision m'avait rempli d'une force insoupçonnée. J'avais alors revu tout ce que nous avions aimé ensemble, toutes ces chansons, ces paysages ou attitudes dont la beauté nous avait marqués, et il m'avait semblé qu'il y avait dans cette beauté quelque chose qui, sans être nécessairement plus fort que la mort, permettait de lui tenir tête un petit peu.

Devenu plus tard professeur de philosophie, le sujet de la beauté s'est peu à peu imposé, sans que je le choisisse vraiment, comme le thème principal de mes conférences : Pourquoi la beauté nous fascine-t-elle ? Pourquoi nous attire-t-elle ? La beauté est-elle la promesse du bonheur ? Quelle beauté dans la foi ? dans l'entreprise ? dans l'amour ? La beauté peut-elle guider notre vie ? Faut-il développer l'esthète en soi pour développer l'initiative, l'intuition, le sens de la décision ? J'en profitais chaque fois pour recueillir des témoignages : partout la beauté aidait, réveillait, délivrait, inquiétait, mais d'une manière intéressante, apaisait, mais d'une manière dynamisante ; partout la beauté rendait la vie plus intense, plus ouverte, plus pleine. Partout la beauté guérissait, ou du moins semblait promettre une guérison, un salut, une « sortie » : une échappatoire au malaise ou à la souffrance, au réalisme ou au rationalisme étriqués, à l'ironie amère ou au défaut d'estime de soi. Et c'est ainsi que ce livre s'est écrit.

La beauté ? Il faudrait plutôt dire : l'émotion esthétique. Ce plaisir étrange, ni simplement sensuel, ni vraiment intellectuel non plus, cette satisfaction gratuite, désintéressée, cette évidence qui soudain vous apaise lorsque vous dites : « C'est beau. » C'est à un voyage au cœur de vous-même que je vous invite. Car avouez que la chose est singulière. En tant qu'animal humain, vous êtes attiré par des choses profondes : le sens de la vie, Dieu, la vérité… Pourtant, cette beauté qui vous fascine est superficielle. Oui, superficielle. *Terrasse de café la nuit* de Van Gogh, ce n'est rien qu'un peu d'orange et de bleu sur une toile, quelques formes et couleurs étalées à la *surface* d'une toile blanche. Comment ce qui est superficiel peut-il donc avoir le pouvoir de nous toucher profondément ? De même cette brune en tailleur sortant de la boulangerie : que peut donc bien en avoir vu notre séducteur compulsif ? Il ne s'est pas retrouvé nez à nez avec son âme éternelle, il n'a pas rencontré les valeurs qui sont les siennes et pour lesquelles, peut-être, elle serait prête à mourir. La beauté qui l'a fasciné est donc bien, en effet, superficielle : quelques formes en mouvement, une manière d'habiter l'espace, une expression fugace sur un visage de profil, juste avant qu'elle ne lui tourne le dos. La beauté de la chanson française, elle aussi, est d'abord superficielle : trois accords au piano et un homme qui chantonne des mots simples. Alors d'où vient son pouvoir de nous émouvoir à ce

17

point ? C'est encore plus vrai de la beauté de ce paysage de mer : des couleurs et des formes, rien de plus. À quoi tient sa beauté ? Un peu moins de lumière, une eau plus sombre, et nous ne le remarquions même pas. Mais voici une lumière plus intense, la mer éclairée d'une transparence soudaine, une mince bande d'un bleu soudain turquoise, et nous nous perdons dans la contemplation de sa beauté. Que s'est-il passé ?

Il semble que nous, animaux humains, probablement plus que les autres animaux, entretenions une histoire singulière avec la beauté des formes. Que se joue là, peut-être, quelque chose de notre « secret », de notre énigme : l'énigme du « propre de l'homme ».

Lorsque nous sommes interrogés sur le but de notre vie, nous évoquons souvent le bonheur (le nôtre ou celui de nos proches, de nos enfants), la santé, la réussite, l'amour… En creusant un peu plus, on rencontre d'autres réponses : le pouvoir, le plaisir, la vie éternelle… Mais jamais nous ne déclarons vivre pour *la beauté*.

Pourtant, comme ces quelques exemples le suggèrent déjà, la beauté, sans être ce que nous recherchons d'abord, a le pouvoir de nous arrêter dans la hâte de notre vie. C'est à la rencontre de cette énigme que je vous propose maintenant de partir. Pourquoi ces formes superficielles nous touchent-elles si profondément ? Pourquoi avons-nous tant besoin d'être touchés par elles ? Pourquoi avons-nous tant *besoin* de beauté ?

I

ENTREVOIR L'HARMONIE

Nous avons besoin de la beauté pour nous sentir en paix avec nous-mêmes. Revenons à Lucie et essayons de comprendre pourquoi, dès les premières notes de cette chanson française, elle s'est sentie si bien. Reprenons au début, si vous le voulez bien. En fin de matinée, avant de téléphoner à son mari, elle a été confrontée à un dilemme : lui mentir ou pas ? Le sujet ne vous regarde pas, l'alternative si. D'un côté, le mensonge, simple, efficace, sans risque, mais déplaisant. Si elle commence à mentir, même pour cette question sans importance, où s'arrêtera-t-elle ? De l'autre, la vérité, plus longue à expliquer, qui implique qu'elle perde du temps et de l'énergie, sorte de son *open space* pour aller murmurer dans le couloir en face des toilettes, mais qui lui semble moralement préférable. Elle hésite un temps, puis opte pour la vérité. Elle se dit que « c'est bien », qu'elle a fait le bon choix. Mais ce choix n'est pas *le sien* : c'est le choix d'une part d'elle-même simplement, sa part morale. Et son jugement – « c'est bien » (de dire la vérité) – signifie que sa part morale vient de l'emporter sur sa part égoïste ou intéressée. Ce choix, ce jugement lui a donc coûté : un conflit intérieur, en Lucie, s'est soldé par le triomphe d'une part d'elle-même sur une autre. Un peu plus tard, à l'heure du déjeuner, elle hésite devant le tiramisu que lui propose le serveur. D'un côté, sa décision prise il y a quelques jours d'entreprendre un régime. De l'autre, ce tiramisu qui lui fait envie. L'essentiel n'est-il pas de profiter de la vie même avec quelques kilos de trop ? Autre dilemme, autre conflit. Ce n'est plus sa part morale contre sa part égoïste, mais sa part rationnelle contre sa part sensible, sa décision contre son désir. Nos vies sont tissées de ce genre de conflits, plus ou moins importants, cela ne cesse jamais. Elle hésite et, finalement, fait un signe au serveur. OK, qu'il apporte le tiramisu. Avec une coupe de champagne, d'ailleurs, ça va bien ensemble. Elle trouve ce tiramisu délicieux et pense avoir fait le bon choix même si, encore une fois, ce choix n'est pas vraiment le sien ou, pour le dire mieux, il n'émane pas de son être *entier* mais simplement d'une part d'elle-même – cette part sensible qui vient de l'emporter sur sa part rationnelle. Ici encore, son jugement – non plus « c'est bien » comme précédemment mais « c'est bon » – procède de l'issue d'un conflit interne. Ici encore, au moment du jugement, le conflit interne se solde par le triomphe d'une part d'elle-même sur une autre. Et de même au bureau, peu de temps après, examinant les résultats d'un rapport, elle sera habitée par un autre conflit interne : d'un côté ce qu'elle imaginait, de l'autre ce que sa réflexion l'oblige à admettre. « C'est vrai », concédera-t-elle finalement au collègue commentant avec elle les résultats – et ce jugement-là consacrera le triomphe de sa réflexion sur son imagination. Trois jugements donc – « c'est bien », « c'est bon », « c'est vrai » –, trois conflits internes. Voilà pourquoi nous avons si souvent mal au dos : ces conflits laissent des traces.

Reste que j'ai forcé le trait lorsque j'ai écrit, quelques lignes plus haut, que nos vies sont tissées de ce genre de conflits et que cela ne cesse jamais. Il y a, justement, des instants rares, précieux, où le conflit cesse, des instants de trêve miraculeuse dans la guerre intérieure. Ce sont les premières notes de cette chanson française. « C'est beau. » Oui, c'est beau. Ce n'est pas « bien », ni « bon », ni « vrai », ni « faux ». C'est beau. Car alors ce qui fait le jugement n'est plus le triomphe d'une part de Lucie sur une autre, mais simplement le fait qu'elles sont d'accord entre elles, qu'il n'y a plus de conflit interne. Ce qui est beau, alors, c'est précisément que le conflit cesse ; c'est ce sentiment de paix. « C'est beau » n'est pas un jugement de sa sensibilité, ni de sa réflexion. La sensibilité de Lucie ne l'emporte pas sur sa réflexion. Sa réflexion ne l'emporte pas sur sa sensibilité. Elle est tout entière d'accord avec elle-même. C'est beau : le critère de son jugement, c'est qu'il n'y en a pas. C'est ce que la beauté lui fait. Ce petit miracle . l'instant du plaisir esthétique, elle est réconciliée avec elle-même.

« C'est bien » : le critère était moral.

« C'est bon » : le critère était sensuel.

« C'est vrai » : le critère était rationnel.

« C'est beau » : il n'y a pas de critère.

C'est beau et c'est comme ça, on ne discute pas, ni avec les autres ni avec soi. D'où cet affect de plénitude, cette présence à elle-même et au monde que nous évoquions précédemment : elle est là, enfin, tout entière.

L'analyse que je viens de développer est inspirée des travaux d'Emmanuel Kant dans la *Critique de la faculté de juger*, ce penseur réputé austère que l'on connaît parfois davantage pour ses habitudes de maniaque que pour sa pensée géniale : levé chaque matin à 4 h 55 précises, prenant son thé toute sa vie à la même heure, à la minute près, né et mort à Königsberg, quasiment jamais sorti de sa ville natale, tellement régulier dans le *timing* de sa promenade quotidienne que les ménagères de Königsberg réglaient la cuisson de leurs plats sur le passage du philosophe (bien plus fiable que les horloges d'alors), ayant installé chez lui un régulateur de température ultrasophistiqué pour la maintenir constante jour et nuit à un demi-degré près, toutes saisons confondues, car il avait une phobie de la sueur, n'ayant dérogé qu'une seule fois dans sa vie à ses habitudes pour aller au-devant du courrier et des nouvelles en provenance de France – un certain matin de 1789. Et c'est ce névrosé obsessionnel que j'ai choisi pour rendre compte de l'énigme du plaisir esthétique ? cet ennemi de la spontanéité que j'ai élu pour approcher le jaillissement imprévu du sentiment du beau ? Eh bien oui. Votre étonnement est d'autant plus légitime que si Kant est devenu, de tous les temps, l'un des philosophes les plus vénérés de son vivant (des voyageurs venaient du monde entier pour l'apercevoir, sonnaient à sa porte après des semaines de route, Kant acceptait d'ouvrir, les saluait courtoisement, puis refermait la porte pour retourner à son travail et les voyageurs reprenaient leur route, heureux d'avoir vu le visage du « Copernic de la philosophie »), c'est notamment en raison de sa théorie du « conflit des facultés ». Il a montré que la grandeur de l'homme était inséparable de ce combat, en lui, entre ses différentes facultés. Sur un plan moral par exemple, ainsi qu'Emmanuel Kant le montre dans la *Critique de la raison pratique*, il n'y a de grandeur à faire le bien que parce que cette bonne intention n'est pas naturelle, que parce qu'elle se heurte à la résistance de notre égoïsme spontané. Si nous étions programmés pour faire le bien, alors il n'y aurait aucun mérite à le faire : c'est parce qu'il est difficile d'être moral qu'il est digne de se forcer à le devenir. Sur le plan de la connaissance scientifique, que Kant évoque dans la *Critique de la raison pure*, on retrouve ce « conflit des facultés » mais sous une autre forme : la rigueur de la connaissance scientifique exige de l'homme que ce soit une de ses facultés, la réflexion (« l'entendement »), qui l'emporte sur les autres (en l'occurrence la sensibilité et l'imagination). Le savant, comme l'homme moral donc, doit ainsi être divisé intérieurement pour être un bon savant : c'est à l'entendement souverain qu'il appartient d'analyser les données simplement perçues par la sensibilité, c'est lui qui « traite les données », après avoir « ordonné » qu'on les lui apporte.

Mais au soir de sa vie, le théoricien vénéré du « conflit des facultés » va faire une découverte majeure. Une découverte qui l'honore, et qui va l'inviter à réviser sa théorie avec un courage dont peu de philosophes de son envergure ont su faire preuve. Le plus souvent, lorsqu'un bâtisseur de grand système philosophique se heurte sur le tard à quelque chose qui le dérange, il fait comme s'il ne l'avait pas vu, ou s'arrange d'une manière ou d'une autre pour le faire entrer dans son système. Pas Emmanuel Kant. Ce jour-là, il est assis à sa table de travail, fenêtre ouverte sur le jardin. Au-dessus de son bureau, un portrait de Jean-Jacques Rousseau, seule décoration de toute la maison. Le regard du penseur, un instant diverti de sa tâche, se perd dans la contemplation de son jardin, dans les entrelacs de branchages. D'habitude, la végétation est toujours parfaitement taillée, mais le jardinier, souffrant, a été absent quelques jours. Aussi la nature a-t-elle repris ses droits, sur la base toutefois d'un ordre longtemps entretenu. Un sentiment étrange l'envahit soudain. Le théoricien du « conflit des facultés » vient de découvrir qu'il est un moment où cesse le conflit : c'est le moment où nous éprouvons le « sentiment du beau ». Dans les milliers de pages qu'il a déjà écrites, pas une seule ligne n'est capable d'éclairer ce qu'il vient de ressentir. Il l'admet. Là est son courage, son immense honnêteté. Et il décide de se lancer, malgré son âge, dans un nouveau chantier : la *Critique de la faculté de juger* vient de commencer à s'écrire. On y trouvera bientôt cette définition du plaisir esthétique, qui fera date : un « jeu libre et harmonieux des facultés humaines ».

Entrons un peu dans le détail. L'émotion esthétique comme « jeu libre et harmonieux des facultés humaines ». Jeu. Libre. Et harmonieux. D'habitude, nos facultés humaines ne « jouent » pas. Elles « travaillent », pourrait-on dire. Lorsque nous réfléchissons, notre entendement analyse, par exemple, la relation de causalité entre deux données de la perception. Si, face à ce paysage de mer, nous réfléchissons à ce que nous observons, nous pouvons arriver à la conclusion que la luminosité accrue explique pourquoi cette bande de mer apparaît soudain turquoise. Notre entendement a bien, en effet, traité les données de la perception (la luminosité et la bande d'eau turquoise) : il les a reliées entre elles. Mais il n'y a aucun « jeu » entre l'entendement et la perception. L'entendement commande : il ne joue pas. La thèse très originale d'Emmanuel Kant est que, dans le plaisir esthétique, notre entendement et notre perception « jouent » à se renvoyer leur accord mutuel devant la beauté. D'où l'étrangeté du plaisir esthétique : nos différentes facultés, en nous, développent une relation inhabituelle, sur le mode du jeu et non plus du travail. Nous avons en conséquence un rapport lui aussi inhabituel – esthétique – à ce que nous percevons : la luminosité qui nous éblouit n'est plus la cause de la bande d'eau turquoise, qui n'en est plus la conséquence, nous contemplons les deux sans analyser leur relation, sans rien demander de plus que le plaisir de cette contemplation.

On peut bien sûr entendre aussi ce jeu au sens de « léger mouvement », même si ce n'est probablement pas ce que voulait dire Kant. Il y a du « jeu » en nous : cela vit en nous, il y a comme un espace d'ajustement, où va s'épanouir l'émotion. Ce jeu est « libre », ajoute Kant. Aucune des facultés, en effet, ne commande aux autres, aucune n'obéit. Nous sommes libres de trouver beau ce que nous trouvons beau, libres par rapport aux autres, bien sûr, mais aussi – c'est le grand apport kantien – libres intérieurement, puisque aucune de nos facultés n'impose aux autres sa loi. On comprend pourquoi Kant précise que ce jeu est « harmonieux » : le plaisir esthétique se trouve alors défini comme harmonie interne du sujet humain. Il a été beaucoup reproché à Emmanuel Kant d'écrire sur la beauté sans s'intéresser vraiment à elle, de ne prendre aucun exemple valable d'œuvre d'art ou de beauté naturelle, bref de s'intéresser moins à la beauté qu'à un aspect de la subjectivité humaine. C'est vrai, et c'est justement cela qui nous intéresse ici : non ce qui fait que c'est beau mais, encore une fois, *ce que la beauté nous fait*.

L'autre apport décisif de l'esthétique kantienne concerne la notion de jugement. Lorsque vous êtes touché par la beauté, vous portez un jugement. Mais ce jugement – « c'est beau » – se distingue radicalement de tous les autres jugements que nous avons rencontrés (« c'est bien », « c'est bon », « c'est vrai »...) et qu'Emmanuel Kant, dans la *Critique de la faculté de juger*, nomme « jugements déterminants ». Ces autres jugements sont déterminants car, chaque fois, une faculté en nous, une part de nous est « déterminante ». Dans le jugement moral, c'est la raison. Dans le « c'est bon » que nous arrache le tiramisu, c'est la sensibilité. Le jugement esthétique, lui, est « réfléchissant » : lorsque nous disons que « c'est beau », aucune de nos facultés n'est « déterminante », toutes se renvoient leur accord mutuel ; elles se « réfléchissent » les unes les autres dans cette étrange harmonie interne. « Le beau est toujours bizarre », écrivait Baudelaire. Nous commençons à entrevoir pourquoi.

Mais il y a une autre différence. Dans le « jugement déterminant », nous allons du général au particulier. Nous disposons d'une catégorie générale, d'un critère qui préexiste, et c'est à l'aune de ce « général » préexistant que nous examinons le cas particulier. Ainsi, lorsque nous disons que « c'est bien », nous disposons déjà des catégories du Bien et du Mal ; nous ne faisons que les appliquer au cas particulier présent. Lorsque nous disons que « c'est illégal », nous disposons déjà de la loi tout comme, lorsque nous affirmons que « c'est faux », nous appliquons là aussi des règles logiques qui préexistent.

Devant la beauté, c'est différent. C'est même précisément le contraire. Dans le « jugement réfléchissant », nous partons du particulier – ce paysage de mer absolument unique, cette lumière qui n'est jamais deux fois la même, ce tableau original de Van Gogh, cette statue de Giacometti – et, sans critère, nous énonçons une vérité générale : « *C'est* beau. » Non pas : « Cela me plaît à moi », mais bien : « C'est beau. » Nous n'allons pas du général au particulier, mais du particulier au général. Et même à l'universel. Quelle incroyable liberté, quelle audace, jamais nous ne nous faisons confiance à ce point ! La plupart du temps, alors même que nous disposons de critères, nous continuons à douter. Ici, nous n'avons plus aucun critère mais cessons de douter. C'est cela, aussi, la liberté dont parle Emmanuel Kant. La *liberté de jugement*. Cela aussi, le plaisir esthétique : se faire confiance, s'écouter enfin, comme le fils de Lucie au musée d'Orsay. Bien sûr, devant la *Terrasse de café la nuit* de Van Gogh, il aime les couleurs et les formes, il aime le sanguin de l'orange et le bleu nuit du ciel, mais il aime aussi que son émotion soit le seul critère de son jugement. Son juge-

ment de goût est « subjectif, mais universel »,
écrit paradoxalement Emmanuel Kant. Subjectif : car sans critère objectif, fondé simplement
dans l'harmonie de la subjectivité humaine.
Mais universel : car il ne doute pas que ce qui
le touche ainsi puisse toucher les autres, et il en
doute d'autant moins qu'il n'a rien fait pour
cela. Nous avons besoin de la beauté, de ce que
la beauté nous fait, pour retrouver ce talent de
savoir s'écouter, cette confiance en soi – mais en
un *soi* ouvert, désireux de partager son goût,
portant en lui la promesse d'un *nous*. Et nous en
avons besoin aujourd'hui plus qu'hier.

« L'autorité de l'éternel hier », ainsi que Max
Weber nomme joliment la tradition, pouvait
auparavant nous servir de critère. À l'heure de
juger, nous pouvions nous référer aux critères
religieux, moraux, politiques, familiaux... Mais
ce monde – le monde des « jugements déterminants » – n'est plus. Hier, l'émotion esthétique
pouvait faire figure de respiration au milieu
d'un monde saturé de normes et de critères : au
milieu des « jugements déterminants », nous
pouvions nous offrir, le temps d'une balade en
montagne, le temps d'une visite au musée, le

luxe d'un « jugement réfléchissant ». Mais nous vivons le temps de l'obsolescence des critères : le monde change si vite que les critères se périment à un rythme accéléré. Nous pensions qu'il était immoral d'instrumentaliser une vie humaine, et voici que nous fabriquons des « bébés médicaments ». Nous pensions qu'il fallait partout et toujours distinguer l'humain du non-humain, et voici que nous congelons des embryons humains en vue d'une hypothétique implantation. Nous pensions que la valeur d'une vie tenait à son unicité, et voici que les réussites du clonage thérapeutique ouvrent la perspective du clonage reproductif. C'est en ce temps de doute généralisé qu'il est plus vital que jamais de chérir l'esthète en nous, de multiplier les occasions de rencontre avec la beauté, de plaisir esthétique. Car l'esthète est cet homme qui sait juger en l'absence de critères. L'esthète est cet homme capable de s'écouter quand, tout autour de lui, le monde lui crie des choses insensées.

Luxe hier, et si le « jugement réfléchissant » devenait aujourd'hui nécessité ? De quoi parlons-nous, finalement ? Nous parlons d'intuition. Faire preuve de « jugement réfléchissant », c'est être capable d'intuition. Voilà ce que la beauté nous fait : elle nous apprend à développer notre intuition. Peut-être même nous apprend-elle, simplement, que nous avons de l'intuition : elle nous sauve alors de notre incapacité à nous écouter. Faire preuve de « jugement déterminant » ne demande aucune intuition : il faut juste assez d'intelligence pour identifier la règle à appliquer. Faire preuve de « jugement réfléchissant », affirmer que « c'est beau » sans critères relève d'une sorte d'invention. Il n'y a pas que Van Gogh qui crée : le fils de Lucie aussi, lorsque l'œuvre de Van Gogh le touche, invente le critère de son jugement à l'heure même de juger. D'une certaine manière, chaque émotion esthétique nous rappelle que nous pouvons être créateurs. Voila pourquoi nous éprouvons de la gratitude à l'égard des artistes. Ils nous donnent la confiance au cœur de l'émotion : de leur faire tant confiance, nous finissons par nous faire confiance. Toute expérience esthétique porte la marque de cette foi : ce que je ressens ne peut me tromper, la beauté dévoile, lève le voile du doute. Nous ne savons pas trop pourquoi, ni comment, mais nous sentons qu'il y a de la vérité dans ce que la beauté nous fait : de la vérité dans la sûreté de notre jugement.

C'est une des belles questions posées par Emmanuel Kant : Quand pouvons-nous vraiment parler de jugement ? Lorsque nous appliquons au cas particulier une règle préexistante ? Ou lorsque nous partons du particulier, toujours inédit, toujours nouveau, pour inventer ce qui sera peut-être la règle de demain ? Le monde qui change si vite nous demandera de plus en plus cette liberté et ce courage du « jugement réfléchissant ». Les juristes le savent bien : le droit étant souvent en retard sur l'évolution de la société, il n'est pas toujours possible de juger du cas particulier du délit présent avec les lois d'hier. Alors, il faut inventer. Prendre une décision, qui « fera jurisprudence » – bref, aller du particulier au général. Être capable, donc, de « jugement réfléchissant ».

Or, le jugement de goût – « c'est beau » – constitue la forme pure du jugement réfléchissant. Alors entraînez-vous ; entraînez-vous à vous faire confiance. Écoutez de la chanson française ou de la pop anglaise, de l'opéra italien ou du punk rock américain, une *Gnossienne* d'Erik

Satie ou une partita de Bach, promenez-vous dans la campagne et levez le museau, promenez-vous dans les villes et regardez les immeubles, les monuments, les perspectives, parcourez les musées sans écouter les guides, multipliez les occasions de rencontrer la beauté, choisissez celles qui vous conviennent le mieux, laissez la beauté des formes se faire jour devant vous, laissez-la produire en vous ce « jeu libre et harmonieux des facultés humaines » : retrouvez le pouvoir de juger. La tradition ne nous guide plus, les experts se trompent sans cesse, l'accélération inouïe du progrès technique fait valser les critères : bientôt, il ne nous restera plus que notre intuition. Alors cultivons-la.

Cultivons ces instants de grâce où notre raison semble éclairée – mais par qui, par quoi ? Dieu, la chance, l'expérience ? Nous qui peinons si souvent à argumenter, nous voici soudain illuminés, comme récompensés – mais de quoi, par qui ? L'intuition, c'est le moment où la raison se met à voir : bien plus qu'une compréhension, un *contact* avec la vérité. Il nous apparaît soudain, par exemple, qu'un de nos amis s'éloigne de nous, et c'est alors l'idée même de l'amitié qui se présente à notre esprit. En ayant l'intuition que cet ami s'éloigne, nous touchons en même temps la vérité absolue de l'amitié. Telle est la vérité intuitive : tout à la fois très précise et fenêtre sur un absolu. Notre réflexion, d'habitude, fonctionne en sens inverse : elle pose une définition de l'amitié puis en déduit que le comportement de cet ami ne lui est pas conforme. D'habitude, notre raison fonctionne assez laborieusement, par étapes, progressivement. Notre corps, lui, perçoit immédiatement le monde. Lorsqu'elle devient intuitive, la raison ressemble soudain au corps : elle saisit les idées avec une immédiateté qui est le propre du corps. L'intuition, c'est la raison qui repasse par le corps, affirmait en substance Bergson. La raison intuitive est une raison qui cesse de raisonner : elle *résonne* enfin. Comme si la raison, pour donner le meilleur d'elle-même, devait s'ouvrir à son autre, à son opposé : au corps. C'est peut-être bien par le corps que la raison est éclairée dans cet instant de grâce qu'est l'intuition. La raison n'est alors plus « dans » le corps : c'est le corps qui est dans la raison. C'est comme la présence, au cœur de notre esprit, d'un étranger qui lui fait tant de bien. J'entends encore la voix de ce vieux professeur déclamant, dans l'amphi de la Sorbonne : *L'intuition c'est, en la raison, l'immanence d'un exotisme...*

Reste que le chemin vers l'intuition est difficile. Bergson montre que l'intuition n'est pas si spontanée qu'on pourrait le croire, qu'elle récompense en fait un double effort. Premier effort : s'arracher aux manières habituelles de penser, aux opinions toutes faites. Second effort : s'abstraire de l'urgence de l'action présente, du souci de l'utile. Être intuitif se conquiert donc. Bergson ajoute qu'être intuitif, c'est être tout entier là, avec tout son passé, avec tous ses souvenirs. Or, la nécessité de l'action m'oblige à sélectionner, dans le stock infini de ma mémoire, mes souvenirs utiles : elle me coupe de moi-même, de la plus grande partie de mon passé et de mes souvenirs, et risque donc de m'interdire l'intuition. La rencontre de la beauté est au contraire ce qui rend plus aisé ce double effort : devant la beauté je ne me soucie ni des opinions toutes faites ni de l'utilité des choses. La contemplation de cimes enneigées, la fascination devant un tableau, un monument ou un enchaînement d'accords, en nous offrant cet instant d'*arrêt* dans l'action quotidienne, peuvent nous réconcilier avec nous-mêmes, avec notre capacité d'intuition.

L'intuition devient alors, au-delà même de la question du beau, la caractéristique première de ce que nous pourrions appeler un rapport esthétique au monde. Prenons un joueur de foot : l'obsession du but, de l'action utile, lui interdit l'intuition. Il peut être stratège, efficace, il ne sera pas intuitif. Mais si, au cœur de l'action, il est soudain saisi du pur plaisir d'être là, dans la perfection de son jeu ne demandant rien de plus, alors il sera peut-être capable de cette intuition, rare, dont sortent parfois les buts les plus fous. D'avoir été un instant dans un pur rapport esthétique au monde, il se sera retrouvé dans toute sa puissance, dans tout son talent. C'est de cela dont nous avons tous besoin, à notre échelle : de ces moments de plaisir esthétique capables de nous rappeler à notre pouvoir, à notre présence au monde, à notre capacité d'intuition.

C'est donc notre puissance de vie que la beauté peut nous permettre de développer. Mais il y a des conditions à cela. Pour que le jugement soit vraiment « réfléchissant », pour que votre satisfaction esthétique soit pure, Emmanuel Kant précise que trois conditions doivent être réunies. Trois « absences » conditionnent ainsi la présence de votre pur plaisir esthétique : devant la beauté, votre jugement doit être « sans concept », « sans intérêt » et « sans finalité ».

« Sans concept » : que vous ne vous référiez pas à une idée du beau, à une règle de l'art, à un mouvement pictural... Car alors votre harmonie interne serait gâchée par le primat de votre part rationnelle.

« Sans intérêt » : que vous n'ayez aucun intérêt – social, financier... – à apprécier le beau, que votre sentiment du beau soit *désintéressé*.

« Sans finalité » : que devant la beauté vous ne vous posiez même pas la question de la finalité, de l'intention de son auteur. Car alors, ici aussi, le primat du rationnel vous couperait de l'harmonie interne.

Ces conditions sont évidemment très dures à réunir. Il semble qu'elles le soient dans le plaisir que prend Lucie à écouter le concerto pour quatre pianos et un orchestre de Bach. Elle tombe toujours dessus par hasard, elle l'a noté récemment : lors d'un concert, salle Gaveau, d'un pianiste qui jouait du Chopin mais s'est mis à jouer du Bach lors du dernier rappel, dans sa voiture, sur Radio Classique, avant même d'avoir reconnu le concerto… L'effet est toujours le même : elle est envahie par tant de perfection, tant d'harmonie polyphonique, elle oublie tout – et c'est dans cet instant qu'il lui semble exister le plus pleinement. Comme s'il lui fallait, paradoxalement, sortir du monde pour réussir enfin à l'habiter… Son jugement – ce concerto de Bach est beau – est-il « sans concept » ? Oui, assurément : elle n'envisage à cet instant aucune idée du beau, aucune règle harmonique ou rythmique… Est-il « sans intérêt » ? Oui, bien sûr : elle est à mille lieues d'imaginer l'intérêt social ou mondain qu'elle pourrait trouver à déclarer aimer ce concerto de Bach (d'ailleurs elle ne l'a jamais dit à personne). Son jugement esthétique est donc bien *désintéressé*. Lorsqu'elle achètera le disque pour l'écouter dans les moments où elle en ressent le besoin, on pourra la soupçonner d'y trouver un « intérêt existentiel ». Lorsqu'elle évoquera devant des amis attablés à ses côtés sa passion pour Bach, on pourra la soupçonner d'y trouver un « intérêt social ». Mais nous n'en sommes pas là : c'est pour l'instant le hasard qui lui offre cette beauté, surgissant toujours *par surprise*. Son jugement est-il « sans finalité » ? Oui, tout à fait. Cette musique lui semble si belle, quasi divine, qu'il ne lui paraît pas possible qu'elle ait été composée par un homme : elle ne se représente même pas Jean-Sébastien Bach comme un *individu* ; elle est donc bien loin de s'interroger sur ses intentions, sur les finalités qu'il pouvait bien poursuivre en composant ce concerto pour quatre pianos.

Au contraire, on voit bien comment, devant un tableau comme *Un enterrement à Ornans* de Gustave Courbet, affublé par un professeur ou par un guide de son étiquette « attention réalisme », la référence à une idée du beau peut venir interdire l'émotion du fils de Lucie : alors c'est une logique de savoir qui est sollicitée, non de plaisir esthétique. On voit aussi combien l'intérêt social à déclarer tel ou tel goût, le souci de se distinguer par la mise en avant d'un goût élitiste, propres au snobisme, interdisent eux aussi la satisfaction esthétique pure. Le snob, si nous suivons Kant, ne peut être un véritable amoureux de la beauté.

Le propos d'Emmanuel Kant s'achève par la distinction de la « beauté pure » et de la « beauté adhérente », cette dernière « adhérant » à une idée préalable du beau, de ce qu'il faudrait aimer. C'est de « beauté pure » dont nous avons besoin, non de « beauté adhérente » ; c'est de liberté dont nous avons besoin, non de conformité. Nous *adhérons* déjà assez aux conventions sociales, aux normes de toutes sortes, pris comme nous le sommes dans la logique de la représentation : nous nous représentons si souvent ce qu'il *faudrait* aimer pour être reconnus socialement. Un instant de « beauté pure », c'est un peu de connaissance de soi arrachée à la reconnaissance sociale ; un peu de présence arrachée à la représentation.

Nous comprenons mieux maintenant ce surprenant jugement de Kant : la beauté naturelle serait supérieure à la beauté artistique. En effet, devant une œuvre d'art, il est beaucoup plus difficile de ne pas se poser la question de l'intention de l'artiste que devant la beauté d'un paysage. Mais cette remarque est vite balayée, quelques pages plus loin, par la définition kantienne du génie : devant l'œuvre d'un génie, on ne se pose même pas la question de son intention, de ce qu'il a voulu dire ; on est devant elle *comme* devant une beauté naturelle. « Le génie est ce don naturel par lequel la nature donne ses règles à l'art », écrit-il énigmatiquement. « La nature donne ses règles à l'art » : donne son absence de règles, faut-il en fait entendre... Lucie, écoutant Bach, ne se demande pas ce qu'il a bien voulu signifier. Son fils, devant le tableau de Van Gogh, ne se demande pas ce que le peintre a « voulu dire ». Il est devant ce jaune brûlant comme devant le bleu d'un ciel ; il ne se pose pas de questions. Le sentiment du beau lie par l'émotion deux présences entre elles : celle de la beauté et celle de l'esthète. Il ne faudrait plus jamais parler de « messages » exprimés par les artistes. Si l'artiste avait voulu faire passer un « message », il aurait envoyé un texto, un tweet, ou écrit une tribune dans un journal. S'il savait précisément, avant de passer à l'acte, ce qu'il veut dire, il ne serait pas artiste : il ne passerait pas à l'acte. Les écrivains, les artistes répondent souvent aux journalistes, pour justifier leur travail, que « ce qu'ils ont voulu dire, ce qu'ils ont voulu montrer, c'est… ». Maladresse, probablement, car c'est dans l'élaboration même de l'œuvre que le sens advient.

La référence aux trois conditions kantiennes de la « beauté pure » nous permet aussi d'affiner notre enquête sur l'étrange nature du plaisir esthétique. Ce que Kant nous dit en fait, à travers son idée d'une « harmonie interne de la subjectivité », c'est que le plaisir esthétique n'est ni vraiment sensuel ni vraiment intellectuel non plus. Le plaisir esthétique n'est pas aussi « simplement sensuel » que le plaisir que vous prenez, par exemple, à un massage. Le plaisir esthétique n'est pas non plus aussi intellectuel que la satisfaction que vous éprouvez lorsque vous venez de mener à bien un projet difficile ou de comprendre un raisonnement. Et pourtant, le plaisir esthétique est quand même sensuel : il passe par la vue ou l'ouïe le plus souvent, deux de vos sens, ou par une sorte de vibration du corps. Et il est aussi quand même intellectuel, ne serait-ce que parce que vous êtes conscient, voire satisfait, de le ressentir. C'est à ce problème qu'Emmanuel Kant se trouve confronté. Nous sommes à la fin du XVIIIe siècle. L'émotion esthétique ne relève pas vraiment du corps, mais elle ne relève pas vraiment non plus de l'esprit. Qu'est-ce qui, en nous, n'est ni du corps ni de l'esprit ? Réponse de Kant, en 1790 : rien. Ce plaisir doit donc se jouer, conclut-il, quelque part *entre* le corps et l'esprit, dans cet accord entre le corps et l'esprit, ce « jeu libre et harmonieux » entre les deux.

Vous qui lisez ces lignes plus de deux siècles après les réflexions kantiennes, peut-être entendez-vous qu'il approche, par son génie, une dimension de notre humanité qui n'est, en effet, ni du corps ni de l'esprit, qu'il localise, faute de mieux, dans ce « jeu libre » entre les deux, et qui est peut-être bien ce que la beauté vient satisfaire…

Reste à comprendre une dernière affirmation surprenante de Kant : le jugement esthétique, peut-on lire dans la *Critique de la faculté de juger*, serait « subjectif, mais universel ».

Pour approcher d'un peu plus près ce paradoxe, vous pourriez vous demander pourquoi, lorsque la beauté d'un paysage, d'un tableau, d'une mélodie vous fascine, vous ne supportez pas qu'elle laisse un proche indifférent. Son insensibilité vous heurte, son absence de goût vous dégoûterait presque. Pourquoi ? C'est étonnant, non ? Et la tolérance, alors ? Je croyais qu'il fallait respecter toutes les différences... Seriez-vous un dictateur qui s'ignore, ou ne s'autorise à être autoritaire que dans le champ particulier de l'esthétique ? Pas du tout, vous répondrait Emmanuel Kant. Si vous postulez ainsi, à l'instant du « c'est beau » que l'œuvre vous arrache, l'accord des autres, et même de « tous les autres », c'est parce que vous sentez que ce qui est convoqué, dans ce plaisir esthétique, est votre humanité tout entière, votre nature d'homme réconciliée, et pas simplement votre culture. Que votre émotion ne dépend en rien d'un pauvre *bagage culturel* et qu'à ce titre, rien ne s'oppose à ce qu'elle soit partagée. Voilà pourquoi l'insensibilité de votre proche à cette beauté vous semble insupportable, et d'une manière d'autant plus scandaleuse qu'il s'agit d'un proche. Le relativiste en vous se met soudain à douter... Vous êtes tombé à genoux devant un bronze de Brancusi, devant *L'Étable* de Chagall ou un autoportrait de Rembrandt, un paysage de montagne vous a coupé le souffle. Plus question ici de « ça dépend », ni de « chacun ses goûts » : si c'est beau, c'est beau pour tout le monde – encore une fois, on ne discute pas. Toute émotion esthétique intense devient alors une invitation à sortir du relativisme, cette indifférence à l'autre déguisée en respect de sa différence. « Subjectif, mais universel »... Il faut lire en fait : subjectif, mais qui *vise* l'universel.

L'objection surgit sans attendre : il y aura toujours des différences de goût, nous ne serons jamais d'accord devant la beauté. Évidemment. Mais l'essentiel est que nous en ayons l'envie, que nous sentions monter le *désir d'un accord*. Que l'instant même de notre émotion esthétique soit aussi celui de cet élan vers les autres. Et si c'était l'intensité de cet élan vers les autres qui faisait celle de notre plaisir esthétique ?

Nous avons besoin de la beauté parce que nous avons besoin d'harmonie : harmonie en soi, harmonie avec les autres. Osons la thèse suivante : l'émotion esthétique est la plus intense lorsque l'harmonie en nous crée le désir d'une harmonie avec les autres. Étrange mouvement que celui du plaisir esthétique : il nous invite à rentrer profondément en nous-mêmes et en même temps ne cesse de nous proposer de sortir de nous-mêmes. À l'intérieur, à l'extérieur. De l'intérieur vers l'extérieur. Stendhal s'en souviendra : la beauté est la promesse du bonheur, écrira-t-il dans *De l'amour*. La beauté n'est que la promesse d'un bonheur partagé, a-t-on envie d'entendre, sachant que Stendhal avait lu Kant. La promesse ne sera pas tenue, on l'a compris, mais ce qui compte, c'est la promesse, la chaleur de la promesse – sentir au fond de soi que quelque chose nous pousse à partager avec les autres, que nous ne vivons pas simplement des vies parallèles, à chérir notre « cher petit moi » dans l'indifférence des autres. La beauté, chaque fois qu'elle nous touche, nous guérit un peu plus de notre individualisme.

D'ailleurs, c'est exactement le problème qu'a rencontré le fils de Lucie avec sa petite amie. Il adore Raphael, ce chanteur français qui a un petit air de David Bowie et interprète de jolis textes avec une sensibilité à fleur de peau. Il écoute en boucle un de ses tubes – « Bar de l'hôtel » – et reprend souvent les paroles qui ouvrent la chanson : *D'où vient, d'où vient le vent du matin / Que le jour, que le jour chasse en chemin ?* Il ne sait pas exactement ce qui le touche ainsi – la voix tremblante du chanteur, les paroles mélancoliques, le fait que la voix et les paroles aillent si bien ensemble... – mais cette voix lui parle : *Pour combien tu m'aimes, pour combien tu me quittes ? Tu me tiens en laisse, tu me laisses quitte...*

Sa petite amie, elle, ne supporte pas cette voix, « nasillarde », et ce qu'elle assimile à un romantisme de pacotille. Comment peut-elle rester à ce point insensible à ce qui lui semble la beauté même ? Que peut-il faire ? Rien, bien sûr. Il ne va pas la convaincre de la beauté de cette chanson : la beauté est au-delà de ce qu'il peut en dire. C'est même parce qu'il ne peut expliquer pourquoi cette chanson le touche qu'elle le touche tant. Ce n'est pas beau « parce que » ; c'est beau parce qu'il n'y a pas de « parce que ». Il ne va pas non plus la quitter parce qu'elle n'aime pas Raphael. En sortant du musée d'Orsay, il la retrouve dans un café de la rue de l'Université. Il a envie de lui parler de Van Gogh mais hésite, songeant à leur désaccord au sujet de Raphael. Il ne veut pas être déçu une nouvelle fois. Ils parlent d'autre chose. Soudain, une idée jaillit dans son esprit, qui lui fait du bien et le fait sourire. Finalement, il n'a pas vraiment envie de la convaincre – plutôt de partager ce qui l'a ému…

— Qu'est-ce qu'il y a ? lui lance-t-elle au-dessus de son Coca.

— Rien, je pensais à un truc…

Il vient de comprendre que c'est déjà pas mal, le désir de partage.

Malgré nos différences, malgré tout ce qui nous sépare et dont aujourd'hui nous sommes souvent si bêtement fiers, nous aimerions être d'accord. Il y a une part de nous qui rêve encore à cet accord. Avec les autres, avec tous les autres. Qui rêve d'une sorte de communion universelle. C'est peut-être cette part de nous-mêmes que la beauté réveille, que nous ne pouvons plus, le temps de cet éphémère « c'est beau », ne pas voir. Tout nous sépare : les niveaux de revenus, les conditions sociales, les « bagages culturels »… Mais lorsque nous jugeons que c'est beau, nous sentons que notre émotion ne dépend pas de notre condition sociale ni de notre degré de culture générale ; nous sentons qu'elle pose, dans son jaillissement même, la question de notre commune nature humaine. Nous pourrions presque avancer que la beauté nous souffle que la politique est possible – la cosmopolitique même, la politique mondiale –, puisque nous nous surprenons à espérer un accord entre tous les hommes. Et même : que la morale est possible, si l'on pense que la morale commence avec ce souci de l'autre que nous éprouvons au cœur du plaisir esthétique. Nous avons besoin de la beauté aujourd'hui plus que jamais, aujourd'hui que menace le relativisme. Alors que les produits de consommation et les flux financiers sont mondiaux, on voudrait paradoxalement nous faire croire que les barrières sociales et culturelles sont infranchissables, que c'est « chacun ses goûts », « chacun sa culture », que tout est relatif à la classe sociale, à la religion, à l'âge… Fréquentez la beauté le plus possible, multipliez les expériences esthétiques, les occasions d'éprouver la morsure délicieuse de ce pur élan vers les autres, vers tous les autres, vers l'universel : l'émotion esthétique, c'est l'arme de résistance massive au relativisme.

« C'est beau » est une invitation. En postulant implicitement son accord, nous invitons autrui au cœur de notre sensibilité. Toute émotion esthétique nous souffle la possibilité d'une communauté humaine. Même lorsque nous sommes seuls, nous éprouvons dans l'expérience esthétique la chaleur de la vie ensemble. C'est l'émotion de concert, même seul dans sa chambre. Voilà pourquoi l'émotion esthétique est si forte lorsque nous sommes vraiment ensemble, concrètement, dans la moiteur par exemple d'une salle de concert, ou réunis sur un bateau devant la même ligne d'horizon : la présence effective des autres aimant la même musique, contemplant le même horizon, vient redoubler leur présence implicite. Nous le savions déjà, voici que l'évidence prend corps : nous pouvons être ensemble.

Nous souffrons tant, aujourd'hui, de ne plus savoir être ensemble. Inutile de répéter aux lycéens, lors de fastidieux cours d'éducation civique, qu'il faut vivre ensemble, que c'est un *devoir* citoyen. Car dire qu'il le *faut* revient à affirmer que nous n'en avons pas envie. Aidons-les plutôt à accéder au beau : chaque émotion esthétique éveille ce désir, plus ou moins enfoui, d'une vie ensemble.

Nous avons pour l'instant envisagé l'émotion esthétique simplement sous le jour de la paix intérieure, mais elle est parfois aussi une déchirure interne, tout à la fois douloureuse et jouissive. Difficile dans ce cas, lorsque nous sommes fascinés par un orage déchaîné sur l'océan, ou par une œuvre de Jérôme Bosch remplie de corps nus brûlant dans les flammes ou se faisant picorer par des becs d'oiseaux géants, d'évoquer notre plaisir dans les termes d'un « jeu libre et harmonieux des facultés humaines ». Ce que nous aimons alors, c'est être dérangés bien plu-

tôt qu'apaisés. Emmanuel Kant distingue justement le « sentiment du beau » du « sentiment du
sublime » qui, lui, relève en effet plutôt de la
déchirure interne que de l'apaisement. Et il
prend d'ailleurs l'exemple de l'orage déchaîné :
devant lui, notre plaisir se mêle d'une sorte
d'effroi. Quelque chose d'absolument dispro-
portionné se manifeste devant mes yeux, qui
m'écartèle entre ce qui en moi accepte cet infini
et cela même qui ne peut s'y résoudre. Mais, à
cette réserve près du « sentiment du sublime »,
il est vrai que l'esthétique kantienne éclaire mal
les émotions ambiguës que nous ressentons
devant des œuvres violentes, choquantes, voire
monstrueuses. Sans aller jusque-là, nous pouvons
ressentir, devant un tableau de Balthus comme
La Chambre (celui de 1952-1954 : une jeune fille
y est allongée, nue, comme morte, le visage ren-
versé, en face d'un gnome habillé, au visage
sévère, et d'un chat fixant la scène) ou devant
certaines installations, performances ou séries
photographiques d'artistes contemporains, un
plaisir esthétique proche de la gêne, de l'inter-
pellation, difficile à penser dans les termes d'une
« harmonie intérieure ».

Vous pourriez objecter aussi que ce qui vous plaît, dans votre émotion esthétique, réside justement dans le fait qu'elle est la *vôtre*, qu'elle vous concerne vous et pas un autre, et que vous n'avez aucune envie de la partager. Votre plaisir tiendrait justement, au contraire de ce que dit Emmanuel Kant, à son caractère incommunicable, à cette manière dont il vous enferme dans un jardin secret dont personne n'a la clef. Deux possibilités alors. Soit nous restons kantiens et pensons qu'un tel plaisir esthétique est imparfait, qu'il serait intensifié par le sentiment qu'autrui *pourrait* être sensible à la même beauté que nous. Soit il nous faut admettre les limites de son esthétique, reconnaître qu'il y a dans cette promesse d'une communion un idéalisme un peu trop appuyé.

Enfin, vous pourriez déplorer l'absence de toute référence au sens de la beauté. Pourquoi se retrouve-t-on en arrêt devant un tableau de Van Gogh ? La réponse d'Emmanuel Kant est claire : il n'y a pas de « pourquoi ». Les formes et les couleurs de ce tableau se prêtent bien à ce « jeu libre et harmonieux des facultés » en nous, c'est tout. C'est une harmonie qui en déclenche une autre, rien de plus. Cette réponse pourrait sembler insatisfaisante. Le jaune profond des lumières de ce café de nuit ne symbolise-t-il pas la violence de la vie, l'intensité douloureuse du désir ? Le bleu nuit du ciel ne symbolise-t-il pas cette forme de réconfort que les oiseaux de nuit recherchent quand le soleil se couche ? Bref, la beauté ne symbolise-t-elle pas des *valeurs* ? Et si le fils de Lucie y est sensible, n'est-ce pas qu'il adhère, même sans le savoir, à ces valeurs ? Ce paysage de cimes enneigées n'est-il pas lui aussi le symbole d'une élévation ? Lorsque j'y suis sensible, n'est-ce pas au fond que j'adhère à l'idée même d'une cime, d'un sommet, qui pourrait être celui de ma vie ? Ou n'est-ce pas au contraire que j'embrasse, par les yeux, l'*idée* de ma petitesse humaine à l'égard de l'infini de la Nature ou de la Création ? De nombreux penseurs, d'Aristote à saint Augustin, ont raconté cette expérience communément partagée : la manière dont la beauté du monde leur semblait constituer un indice de l'existence de Dieu. Or, dans l'esthétique kantienne, la beauté n'a pas de sens. Elle ne renvoie à rien d'autre qu'elle-même. Mais la beauté de cette jeune femme brune sortie de la boulangerie est-elle à ce point insensée ? N'est-elle vraiment rien d'autre qu'un entrelacs de formes semblables, par leur perfection formelle, à celles qui, un jour, retinrent l'attention d'Emmanuel Kant par sa fenêtre ? Si sa silhouette a le pouvoir d'arrêter notre séducteur dans sa quête compulsive, n'est-ce pas plutôt qu'elle porte, d'une manière ou d'une autre, du *sens* ? Ne pourrait-elle pas, par exemple, renvoyer notre séducteur à l'impasse même de son quotidien de dragueur méthodique ? Une conception entière de l'existence ne peut-elle pas être symbolisée par la beauté d'une silhouette ?

Nous aurions alors besoin de la beauté pour accéder à toutes ces idées, à toutes ces valeurs, à cette logique du sens, mais de cette manière détournée et singulière qu'est la manière esthétique : sans y réfléchir. Nous aurions besoin de la beauté pour élargir, sans même nous en rendre compte, le champ de nos valeurs possibles : pour penser autrement, sans même y réfléchir.

II

VIVRE DU SENS

Nous avons besoin de la beauté pour nous souvenir que nous pouvons aussi penser avec notre corps. Longtemps, en Occident, on représenta l'humain comme un être scindé : corps d'un côté, esprit de l'autre. Cette optique – dite dualiste – fut celle de Platon, de Descartes... et elle est encore ancrée dans bien des esprits. Par mon corps, je ressentirais, et par mon esprit, je penserais. C'est un tel dualisme que nous allons maintenant combattre : car il nous semble qu'une émotion esthétique peut justement être définie comme une manière de *penser avec son corps.*

Je me souviens de la première fois que j'ai entendu David Bowie. J'avais quinze ans, c'était dans une maison au milieu des pins. La chanson s'appelait « Rock and Roll Suicide », ce que je ne savais pas encore. Je ne cherchais pas à comprendre les paroles mais, au regard de mon émotion, il ne faisait aucun doute qu'elles devaient être puissantes, révéler bien des secrets existentiels. Je ne comprenais pas ce qu'il disait mais une chose était sûre : j'étais d'accord avec lui. D'accord avec moi-même, peut-être, mais surtout d'accord avec lui : j'adhérais. J'adhérais à un mode de vie, à une idée de l'humain ou de Dieu, à une conception de l'amour et de l'amitié, que sais-je, je ne savais pas de quoi il parlait mais je savais que j'étais d'accord. Ce que j'écoutais avait du sens, et c'est ce sens que je touchais au cœur de mon émotion esthétique. Ce n'était pas simplement des sons agréables à l'oreille, c'était des sons qui symbolisaient des valeurs. Et ces valeurs avaient suivi un étrange chemin : elles étaient entrées par mes oreilles pour venir charmer mon esprit. Je n'avais encore jamais entendu parler du « dualisme », mais si tel avait été le cas, alors j'en aurais immédiatement démasqué le mensonge.

Je me souviens aussi de mon émotion, à Madrid, au musée du Prado, devant *Los Borrachos*

(« les ivrognes ») de Vélasquez. Je ne pensais plus
à rien, absorbé dans la contemplation de ces *borrachos* aux visages rougeauds, aux traits épaissis
par l'alcool, avec dans leurs yeux cette fatigue
bovine un peu riante quand même. Je regardais.
Je voyais, plus exactement. Qu'est-ce que je
voyais ? Je voyais la beauté des hommes lorsqu'ils
sont fatigués, lorsque la vie est dure, leur commune humanité éprouvée dans ce mélange
d'ivresse et d'abattement. Tout cela était-il dans
le tableau ? Non. Enfin, oui et non. Un peu
dedans et un peu au-delà. C'était, au sens propre,
symbolisé par ce tableau. De quoi était faite mon
émotion esthétique ? Vers quoi me portait-elle ?
Encore une fois : vers des *valeurs*. Des valeurs
auxquelles je ne réfléchissais pas, que je n'envi-
sageais pas intellectuellement. Être simplement
sensible à la beauté formelle de cette œuvre de
Vélasquez me faisait toutefois déjà partager une
certaine conception de l'humain, situant sa grandeur moins dans son éclat que dans sa capacité
à rester humain jusque dans son déclin. Cette
définition d'un humanisme fragile plus que
conquérant, je n'y aurais probablement pas été
sensible si elle avait été développée dans un rai-

sonnement. Peut-être même m'y serais-je opposé… C'était, dans l'émotion esthétique, de ne pas y réfléchir mais de *vivre son sens* qui me fascinait, de recevoir le sens, non par mon esprit, mais par ma sensibilité : bref, d'être un corps intelligent.

Hegel l'explique mieux que personne : la beauté nous fascine parce qu'elle porte du sens. Elle *symbolise* du sens. Nous touchons par nos yeux, nos oreilles, ce que Hegel appelait joliment la « teneur » des œuvres, leur teneur en valeurs, en conceptions implicites du monde. Voilà pourquoi nous avons besoin de la beauté : pour ainsi vivre le sens, pour développer cette dimension spirituelle de notre sensibilité, pour ouvrir grand le champ de notre rapport aux valeurs.

Ce n'est pas un hasard si, dans notre réflexion, la référence à Hegel succède au propos kantien. Hegel a écrit quelques années après Kant, avec le souci affiché de lui régler son compte. Tout les oppose, sauf l'ampleur de leur génie. Hegel était marié, père d'une petite fille, morte très jeune, et de deux fils. Il reconnut aussi un fils illégitime, qui grandit finalement avec ses autres enfants. Il avait une vie mondaine intense, donnait des cours dans des amphithéâtres bondés, était engagé dans les affaires politiques de sa ville et voyageait beaucoup. Passionné d'art, il était capable de prendre une calèche des semaines durant, au risque de se briser le dos, pour relier les différents musées d'Europe, contempler les chefs-d'œuvre et vérifier *in situ* ses théories. Dans son *Esthétique*, il relit toute l'histoire de l'art en montrant chaque fois comment la beauté révèle le sens d'une époque, et symbolise certaines valeurs. De tous les philosophes occidentaux, il est probablement celui qui parle le mieux de l'art. Ce sont quelques-uns de ces chefs-d'œuvre éclairés par Hegel que je vous propose maintenant d'admirer : le Sphinx égyptien, la statuaire grecque apollinienne, enfin un tableau de Raphaël, la *Madone de Foligno*.

La méthode de Hegel, d'une ambition inouïe, est très originale : il met toujours en relation la

vérité d'une culture (d'un point de vue historique, politique, économique, religieux...) et le
type de beauté formelle qu'elle produit. Dans le
cas du Sphinx, il commence par nous parler de
l'Égypte sur le plan de l'agriculture. Il décrit la
violence des crues du Nil, la manière dont cette
violence terrorisait et fascinait en même temps
les hommes d'alors. Puis il ajoute que, malgré
cette fascination pour une nature imprévisible
et excessive, les Égyptiens furent capables
d'inventer un système d'irrigation très savant,
très technique, manifestant par là même que
leur fascination pour la nature n'était pas
incompatible avec leur soif de progrès. Dans
l'Égypte des pharaons, on régnait de père en
fils : la loi du sang – la nature donc – décidait
du pouvoir politique. Et les Égyptiens s'incli-
naient devant cet ordre naturel comme devant
les crues du Nil. Mais, là aussi, malgré cette fascination pour la puissance du naturel, ils surent
inventer une forme d'administration assez éla-
borée, le pharaon étant entouré d'une hiérar-
chie sophistiquée de conseillers spécialisés,
préfigurant le caractère « scientifique » des
administrations modernes. Hegel nous présente

donc une Égypte certes fascinée par le pouvoir démesuré de la Nature, mais en même temps désireuse d'avancer à grands pas sur le chemin prometteur de la Culture ; telle est la *teneur* de la civilisation égyptienne. Or, qu'est-ce que le Sphinx ? Un corps imposant et massif de félin duquel émergent une poitrine et un visage humains, féminin souvent. Autrement dit, la culture se dégageant, peu à peu, de la nature. Conclusion hégélienne : le Sphinx symbolise la vérité de cette Égypte. Sa beauté n'est pas décorative, elle ne divertit pas de la vérité ; elle est l'éclat même du Vrai. Être sensible à la beauté du Sphinx, c'est adhérer à l'idée que toute culture aspire à s'arracher à la nature qui pourtant la fascine. C'est vivre cette définition de la culture sans même en être conscient, sans même s'en apercevoir : c'est vivre un *contenu de sens* au cœur de la contemplation de formes superficielles, rencontrer le sens au cœur même du sensible. Être, encore une fois, un corps intelligent. « La grande raison, c'est le corps », écrira Nietzsche quelques années après la mort de Hegel.

Cette approche reste trop intellectuelle ? Alors simplifions. Imaginez un jeune père et son fils de trois ans au Louvre devant un de ces magnifiques Sphinx de l'aile égyptienne. Notre séducteur compulsif est en effet aussi père d'un petit garçon. Il a été marié à la mère de ce petit garçon, une charmante jeune femme brune, mais son addiction à la drague de rue lui a coûté son mariage ainsi que son quotidien avec son fils : il ne le voit plus maintenant qu'un week-end sur deux et le mercredi après-midi. Partons de l'hypothèse qu'ils ressentent quelque chose, tous les deux, devant le Sphinx. Que voit le père ? Que voit le fils ? Le père peut-il ne voir que la trace d'une civilisation passée ? Non, répondrait Hegel, car alors il aurait un rapport trop intellectuel, pas assez esthétique, à la beauté du Sphinx. L'art, certes, est comme la présence du passé. Mais ce passé est le nôtre, il est vivant dans notre présent, là est le grand apport hégélien, pour qui l'Histoire est un Progrès conservant toujours les étapes dépassées. Du point de vue de l'histoire de l'humanité, l'Égypte est notre enfance. Devant le Sphinx, le père contemple en effet une sorte de présence magique du passé, comme si la beauté avait eu le pouvoir de rendre le passé éternel, mais il y a autre chose : il sent confusément ce qu'il doit à ce passé. Il ne serait pas ce qu'il est si l'Égypte n'avait pas été ce qu'elle a été. Nous avons compris grâce aux Égyptiens que le destin de toute culture, de toute civilisation, est de s'arracher à la puissance de la nature *malgré* les attraits de cette puissance naturelle. Le père, bien évidemment, ne réfléchit pas à tout cela : nul besoin en effet de cette fatigue du raisonnement, il suffit d'ouvrir les yeux, de les laisser se poser sur les belles formes du Sphinx. Quant au fils, peut-il ne voir qu'un lion avec une tête de femme ? Non plus. Lui aussi vit le sens de ce qu'il voit, pour peu bien sûr que les formes le touchent, qu'il les trouve belles. Il y a fort à parier d'ailleurs que ces formes du Sphinx lui racontent une histoire qui le concerne d'encore plus près que son père. N'en est-il pas justement là, en tant qu'individu ? Il a arrêté les couches il n'y a pas si longtemps, passe en grande section de maternelle… N'est-il pas justement en train de s'arracher à la nature pour devenir un homme ? Finalement, le Sphinx symbolise à peu près la même chose pour le père et le fils : le prix du devenir humain, ce que ce devenir exige de nous, en quoi ce devenir est à la fois notre grandeur et notre fardeau. Ce qui, je vous rassure, ne les empêche en rien, juste après, d'aller manger des chips à la cafétéria en parlant de Spiderman. Ce qui n'empêche pas non plus le fils, entre deux chips, de demander soudain à son père s'il va « revenir avec maman ».

— ... Et toi, mon petit bonhomme, tu as aimé le Sphinx ?

C'est la question des relations entre la nature et la culture qui est posée par le Sphinx, mais de manière sensible : nous avons besoin de la beauté pour *rencontrer* toutes ces questions sans même nous en rendre compte, au travers simplement de nos émotions esthétiques. Hegel publie l'*Esthétique* en 1830. Freud n'est pas encore né. Mais il est clair déjà, dans la prose visionnaire de Hegel, que ce n'est pas parce que nous ne sommes pas conscients de vivre ces questions-là que nous ne les vivons pas. Bien au contraire. C'est même le propre de l'*adhésion*. Elle exclut toute distance critique, toute distance réflexive. Le sens entre en nous, à notre insu : c'est la puissance de la beauté, l'étrange pouvoir des formes sensibles de diffuser en nous des valeurs.

Finalement, ce que nous dit Hegel de la relation entre beauté et vérité pourrait être traduit en des termes extrêmement simples : nous sentons tous, lorsque c'est beau, que c'est beau parce que c'est vrai. Nombreux furent ceux qui s'opposèrent à cette idée, comme les empiristes anglo-saxons, David Hume ou Terence Hutchison, pour qui la beauté n'était qu'un agencement agréable de sons ou de formes, plaisant à nos yeux ou à nos oreilles en fonction de notre éducation, de notre familiarité avec les codes esthétiques concernés, sans avoir le moindre rapport avec la vérité. Mais quiconque a déjà ressenti une émotion esthétique forte ne peut accepter le propos réducteur de ces empiristes, et lui préfère sans hésiter cette idée (certes radicale) : c'est beau parce que c'est vrai. Inutile d'ailleurs, pour l'instant, d'interroger plus précisément le sens du mot vrai dans cette phrase, il suffit d'interroger Lucie après qu'elle a écouté encore une fois, les yeux fermés, la *Partita n° 6* de Bach, ou n'importe quel amoureux de Jacques Brel après qu'il a écouté *Amsterdam* très fort dans son salon, n'importe quel spectateur resté de longues minutes à contempler un tableau, n'importe quel promeneur cloué sur place par la beauté d'un paysage ou d'une église en Italie... Aucun ne réduira son émotion à un simple plaisir des sens. Aucun ne réduira le beau à l'agréable. Tous accepteront l'idée que le secret de la beauté se joue, d'une manière ou d'une autre, dans son rapport à la vérité.

Franchissons maintenant quelques siècles : Apollon se dresse devant nous, les rues d'Athènes sont bordées de centaines de statues, donnant toutes à contempler une perfection d'équilibre et de proportion. Les Grecs adoraient leurs statues ; ils y voyaient le visage de leurs dieux. Apollon est un homme dieu : un homme parfait, un dieu fait homme. Or, qu'ont inventé les Grecs ? demande Hegel. Ils ont inventé la philosophie et la démocratie, qui sont deux pratiques de l'équilibre, de la juste mesure, dessinant le visage d'un humanisme proscrivant tout excès passionnel. La philosophie est fondée sur le dialogue, qui n'est possible que si chacun mesure ses arguments, écoute ceux de l'autre et respecte les règles du langage. La démocratie, de même, repose sur la délibération, qui exige de chacun une maîtrise de ses passions, un respect de la parole de l'autre, un sens de la mesure dans la prise de parole. La *teneur* de la culture grecque, c'est cette *mesotes* : cet art de l'équilibre en tout, cette horreur de la disproportion et de l'excès, cette quête de la perfection dans la juste mesure. Le juste milieu, pour les Grecs, était un sommet. Pourquoi donc les Athéniens vénéraient-ils ainsi leurs statues d'Apollon ? Car ils s'y retrouvaient : ils retrouvaient leurs valeurs mais sous une forme sensible ; ces statues leur disaient qui ils étaient. Apollon leur montrait la vérité même de leurs valeurs et de leurs croyances. Une nouvelle fois, ce n'étaient pas que des jolies formes, ni simplement des athlètes bien bâtis, c'étaient les valeurs mêmes de la philosophie et de la démocratie devenues sensibles : la mise en forme parfaite de ce en quoi ils croyaient. Et nous aussi, si nous trouvons Apollon beau, c'est que nous adhérons à ces valeurs d'équilibre et de juste mesure ou, au moins, le temps de notre plaisir esthétique, que nous sommes *tentés* par ces valeurs. Le sens vient nous charmer au cœur des formes sensibles : si nous trouvons Apollon beau, c'est que nous sommes au moins un peu démocrates, au moins un peu philosophes ; c'est que nous sommes un peu grecs. Un fasciste convaincu, si Hegel a raison, ne peut donc pas avoir d'émotion esthétique devant une statue d'Apollon. Sauf à accepter de se laisser tenter par d'autres valeurs que les siennes. Là est justement l'enjeu de la multiplication des expériences esthétiques : accepter de *se laisser tenter* par d'autres valeurs, d'autres croyances, d'autres visions du monde. Il n'y a pas, pour Hegel, de beauté sans « contenu » mais, au travers de la beauté, le « contenu substantiel » sait se faire charmeur : il avance masqué, suggéré, comme une proposition difficile à refuser.

Dernier exemple, plus proche de nous, la *Madone de Foligno* de Raphaël. Marie tient dans ses bras son enfant. Elle embrasse Jésus d'un regard plein d'amour. Tout dans le dessin de son buste, dans l'arrondi de ses bras, dans la chaleur des couleurs, suggère la protection et le soin maternel. Mais son regard est éclairé d'une lueur qui semble plus qu'humaine. C'est que cet amour de mère, écrit Hegel, brille aussi d'un amour supérieur : celui de Dieu pour tous les hommes, dont il est le symbole. Impossible, selon Hegel, d'apprécier la beauté de cette Madone sans adhérer au « contenu substantiel » de l'amour chrétien ou, pour le dire avec nos mots, et en nuançant, sans se laisser tenter par les valeurs chrétiennes : sans entrevoir, le temps de l'émotion esthétique, le charme de cette valeur qu'est l'amour chrétien.

Impossible, de même, pour un esthète occidental pressé et cérébral de contempler la beauté d'un tableau de David Hockney comme *Two Boys in the Pool, Hollywood* sans se laisser tenter par d'autres valeurs, dessinant une autre vision du monde : souci de soi et de son corps, oisiveté et superficialité assumée, sensualité libre et douce... Impossible, aussi, d'éprouver du plaisir à écouter le reggae de Bob Marley sans se sentir un instant attiré par cet ailleurs de la Jamaïque, par un autre type d'existence et par d'autres valeurs – sans entrevoir la *vérité* de ces valeurs et de cette autre vie possible. Voilà le pouvoir de la beauté : les couleurs claires et les formes naïves de la toile de David Hockney sont plus que des couleurs et des formes, comme le rythme très particulier du reggae de Bob Marley est bien davantage qu'un simple rythme ; couleurs et formes, rythmes et sons deviennent les messagers d'une autre vie possible.

Pour bien le comprendre, il faut revenir sur la notion de symbole. Un symbole, écrit Hegel en introduction de son *Esthétique*, incorpore dans sa matérialité même une partie du sens auquel il renvoie, mais une partie seulement, l'autre étant au-delà de la matière. Autrement dit, l'amour de Dieu est en partie dans le tableau de Raphaël, en partie dans le regard habité de Marie pour son fils, mais en partie seulement. Nous ne voyons que la partie visible sur la toile, dans les formes et les couleurs, mais – c'est toute la magie de la beauté – nous adhérons aussi à tout ce qui n'est pas visible, à cet au-delà de la matière. C'est notre émotion qui fait le lien entre ce qui est montré et ce qui ne l'est pas. Un symbole, c'est toujours la présence d'une absence. La présence : des formes et des couleurs, une mère et son enfant, un regard aimant. Une absence : l'amour de Dieu pour tous les hommes. La présence : un tableau. Une absence : des valeurs. Nous ne voyons que la présence, mais c'est en fait surtout l'absence que nous rencontrons : c'est à elle que nous adhérons. Le talent de l'artiste se joue d'ailleurs dans ce dosage de présence et d'absence. Trop de présence, et la lourdeur démonstrative gâte le pouvoir d'évocation symbolique : nous n'adhérons pas. Pas assez de présence et il ne se passe rien : nous n'adhérons pas non plus. Notre émotion consiste à interpréter ce que l'artiste nous a laissé. Par son travail sur les formes et les couleurs, il suggère, commence à nous raconter une histoire et nous prenons le relais avec une impression de liberté probablement illusoire : nous sommes en fait guidés par la maîtrise de l'artiste. Mais notre plaisir esthétique tient probablement aussi à cela : la beauté est plus forte que nous, et nous prenons plaisir à nous laisser ainsi guider.

Ce plaisir ne peut alors plus vraiment être lu comme « harmonie interne » : ce serait plutôt comme si notre sensibilité « forçait » notre esprit à adhérer à du sens. L'étrangeté du plaisir esthétique tiendrait ici à ce sentiment, parfois proche du malaise, que nous pouvons éprouver quand nous sentons que nous nous approchons de quelque chose que, pourtant, nous condamnons. De fait, il est impossible de nier la dangerosité de la beauté. Un fasciste soudain ébloui par la beauté équilibrée d'Apollon pourrait se laisser tenter, avons-nous écrit, par les valeurs démocratiques... Mais historiquement, ce fut plutôt le contraire qui se produisit : des hommes, en Allemagne par exemple, dans les années trente, qui n'étaient pas forcément racistes, antisémites, nationalistes ou impérialistes, furent cependant sensibles à la force persuasive des différents symboles esthétiques utilisés par le régime nazi. Tous les arts furent convoqués pour orchestrer les immenses manifestations. Il faut imaginer ces hommes défilant au pied de ces monuments imposants, dessinés par l'architecte Albert Speer, s'élevant dans les airs comme de purs symboles d'agressivité conquérante, entourés de toutes ces statues, sculptées par Arno Breker, symbolisant la force virile et le désir de domination, au son de chants wagnériens exaltant un lyrisme de drame historique. Architecture, sculpture, musique, et même cinéma... C'est en beauté que la proposition hitlérienne leur a été présentée. Évidemment, certains étaient déjà impérialistes, nationalistes, antisémites... Mais d'autres résistaient, qui ont vu en eux les digues emportées par la puissance de la beauté, et qui auraient refusé l'idéologie nazie si elle leur avait été simplement présentée rationnellement. Sans cette alliance avec l'art, la politique nazie n'aurait pu rencontrer le succès populaire qui fut le sien. La légende présente un Néron qui aurait fait brûler Rome pour avoir le loisir de contempler la beauté de la ville en flammes. Nous avons évoqué la *fascination* pour la beauté, mais sans rappeler encore l'étymologie du terme. Fascination : charme, mais aussi maléfice. Charme : quand la beauté des formes ou des sons nous prend et que nous acceptons volontiers de nous laisser guider. Maléfice : lorsque nous nous laissons porter jusqu'à l'adhésion au pire. Où s'arrête le charme ? Où commence le maléfice ? Et surtout : le charme est-il possible sans la menace du maléfice ?

Mais que la beauté soit dangereuse, qu'elle ait été instrumentalisée par les totalitarismes ne doit pas nous empêcher de la défendre, justement, parce qu'elle est une mise en danger. Et si nous avions besoin de la beauté précisément pour accepter cette mise en danger de nos valeurs, de nos croyances ? Pour nous autoriser à entrevoir des systèmes de valeurs qui, sans l'entremise de la beauté, n'auraient eu aucune chance ?

Apprécier aujourd'hui la beauté limpide et singulière d'un roman comme *L'Étranger* d'Albert Camus, c'est entrevoir la possibilité d'une vision absurde de l'existence, au sein de laquelle la mort d'une mère peut être annoncée sur le même ton que la météo du jour, et un crime commis par un homme simplement parce qu'il a le soleil dans les yeux. Pour les êtres moraux que nous sommes, attachés au prix de la vie et hantés par la peur de perdre ceux que nous aimons, l'attitude de Meursault, l'antihéros de *L'Étranger*, devrait justement paraître étrangère, inhumaine, incompréhensible. Détaillée dans un récit factuel et rationnel, elle resterait inexplicable, attestant simplement de la folie de Meursault. Mais le roman est si beau, si parfaitement et implacablement progressif, le style d'Albert Camus est si pur et sensuel, l'atmosphère de l'Algérie accablée de soleil est si bien rendue que nous nous sentons une affinité avec des valeurs étrangères, voire combattues. Meursault ne pleure pas à l'enterrement de sa mère ; il paraît surtout gêné par la chaleur et soucieux de satisfaire son besoin de nicotine. Il rencontre une jeune femme le lendemain et couche avec elle sans sembler avoir de pensées pour sa mère. Il tue un Arabe sans raison véritable et vide son chargeur sur son corps inerte. Nous devrions le condamner, le haïr. Pourtant – c'est toute la force du roman – il y a une part de nous qui le comprend. Seule la beauté de la prose d'Albert Camus et la maîtrise de la construction dramatique rendent possible une telle empathie avec cet « étranger ». Quel est l'effet de cette proximité ? Non pas un changement réel dans le rapport aux valeurs – si nous pensons que la vie a du sens, nous ne sortirons pas de la lecture de *L'Étranger* convaincus de son absurdité –, mais un agrandissement de la sensibilité ou, pour mieux dire : *un agrandissement de l'intériorité*. « Ça s'ouvre » en nous, le temps du plaisir esthétique, et peu importe qu'ensuite cela se referme, car ce mouvement est celui-là même de la vie. Nous avons besoin de la beauté pour sentir battre en nous cette vie de notre sensibilité : l'adhésion n'a pas besoin d'être durable pour signifier une possibilité nouvelle de notre vie intérieure. Qu'elle existe en tant que mouvement éphémère suffit à nous rendre plus vivants, surpris par cette force que la beauté nous donne de nous surprendre nous-mêmes. Accepterions-nous de nous laisser ainsi tenter par les valeurs de *l'autre* sans ce pouvoir de la beauté ? Probablement pas. Nous n'acceptons de *nous ouvrir* que dans – et grâce – à la beauté.

Ordet, le chef-d'œuvre du Danois Carl Theodor Dreyer, offre l'une des illustrations les plus éblouissantes de cette ouverture à l'autre dont la beauté nous rend capables. Il y est question d'un père et de ses trois fils vivant ensemble à la campagne. L'aîné est marié et père de deux enfants. Le benjamin est amoureux d'une jeune fille dont les parents refusent qu'il l'épouse. Johannes, le cadet, se prend pour Jésus-Christ et part chaque matin prêcher dans les collines et les villages voisins. Il a d'abord le visage d'un fou, ou d'un demeuré. Le film raconte comment Johannes, peu à peu, va s'imposer comme... le véritable Jésus, et réussir à rendre la vie à la femme de son frère, morte depuis deux jours. Le projet radical de ce film est donc de donner à *voir* le miracle de Jésus. Les plans sont travaillés à l'extrême, le changement du regard sur Johannes rendu par des effets magistraux de lumière et de mise en scène. Le film en noir et blanc est d'une lenteur inouïe, d'une indescriptible beauté. Très souvent on observe Johannes, en surplomb, arpentant les collines pour porter la parole de Dieu : c'est comme s'il devenait Jésus sous nos yeux. Rien n'est dit, tout est *montré*. Jusqu'à la scène finale – probablement une des plus marquantes de l'histoire du cinéma : les yeux de la morte s'ouvrant sur ordre de Johannes. Alors, Jésus est parmi nous. Jésus est devant nous. Devant nos yeux il a rouvert ceux d'une morte. Être sensible à la beauté de ce film, à la perfection formelle de sa mise en scène, c'est être tenté, le temps de ce plaisir esthétique, par une vision mystique du monde. Le plus réaliste des hommes, s'il est sensible à la beauté d'*Ordet*, découvre soudain qu'un mystique dort en lui. Il y a, au fond de lui, une possibilité de mysticisme. Jamais, sans la beauté, il ne s'en serait douté.

Autre genre de film, autre type d'ouverture : pourquoi les honnêtes citoyens que nous sommes éprouvent-ils autant de plaisir esthétique devant des films de gangsters comme *Scarface* de Brian de Palma, avec Al Pacino, ou *Le Parrain* de Francis Ford Coppola, avec Marlon Brando, Andy Garcia et, encore, Al Pacino ? Le temps du visionnage, nous côtoyons des valeurs ou sommes témoins de comportements que notre raison, notre morale condamneraient. Ces films oscillent entre une dénonciation de l'horreur d'un monde dominé par la loi mafieuse (trafic de drogues et crime organisé, violence conjugale et machisme, idéalisation de l'« amitié » et trahisons) et une esthétisation fascinée de cette violence. Osons une question simple : que signifie le fait que nous les trouvions si « beaux » ?

La réponse la plus habituelle à cette question emprunte à Aristote son concept de *catharsis*.

D'après Aristote, la violence des représentations théâtrales permettait aux spectateurs athéniens de se purger, par leurs émotions, de leur excès de passions, pour revenir ensuite, plus apaisés, meilleurs citoyens, aux affaires de la cité. En craignant pour le héros de la tragédie bientôt mis à mort sous leurs yeux, en éprouvant de la pitié pour lui, ou de la haine pour ceux qui le tuent, en vivant ainsi par procuration des passions extrêmes, ils se débarrasseraient à peu de frais d'une violence dangereuse pour la civilisation, guériraient de ce qui pourrait les empêcher de devenir citoyens. La catharsis s'apparenterait alors à une « purge », socialement utile, prodiguée par la représentation théâtrale ou cinématographique violente. On comprend pourquoi tous ceux qui veulent minimiser les effets dangereux de la violence au cinéma, à la télévision ou dans les jeux vidéo, se réfèrent à cette thèse exprimée par Aristote dans la *Poétique*.

Si elle comporte probablement une part de vérité, je crois qu'il est possible de présenter les choses différemment. Le temps de notre émotion de spectateurs, nous aurons, comme le lecteur de *L'Étranger* pourtant convaincu que la vie a un sens, comme le spectateur d'*Ordet* pourtant réaliste ou athée, été tentés par l'adhésion à des valeurs qui ne sont pas les nôtres, voire qui nous menacent. Le plaisir esthétique tiendrait ici encore à la découverte de cette possibilité nouvelle à l'intérieur de nous-mêmes, à cette manière, pas nécessairement consciente (le terme de « découverte » serait alors mal choisi), d'éprouver au fond de soi cette tentation, cette possibilité. Concrètement, la distance qui sépare notre vision du monde de celle du chef mafieux est très grande, mais ce que nous dit notre plaisir de spectateur, c'est que cette distance est moins grande que nous ne le pensions, qu'elle n'est pas de l'ordre de l'infiniment grand. L'étrangeté du plaisir esthétique tient au fait qu'il souligne cette distance *en même temps* que le fait qu'elle n'est, finalement, pas infinie.

Et si, avoir du plaisir esthétique, ce n'était pas toujours, d'une manière ou d'une autre, se découvrir une étrange proximité avec le lointain ? faire un peu d'un chemin que nous n'aurions jamais emprunté ? Il y aurait un *transport* esthétique comme on parle d'un transport amoureux : le plaisir esthétique serait insépara-

ble de cet élan qui n'est plus ici, comme chez
Kant, un élan vers *tous* les autres quelles que
soient leurs valeurs, mais un élan vers d'autres
valeurs précises, vers d'autres possibilités à
l'intérieur de soi. La beauté seule nous donnerait cette audace de devenir un peu un autre.
Un peu : oui, le temps simplement du plaisir
esthétique. Mais cela n'empêche pas d'en sortir
changés, grandis peut-être, en tout cas *agrandis*.
La beauté nous sauve de cette idée, si réductrice
et si répandue, que nous sommes simplement
ce que nous sommes. Évidemment, quand le
film sera fini, nous serons aussi légalistes, aussi
bons citoyens qu'avant – peut-être même davantage si l'on pense, avec Aristote, que cet effet
cathartique permet justement d'être ensuite plus
sociable et apaisé. Mais, au fond, peu importe.
Même si, concrètement, nous ne changeons pas,
continuons à accepter sans broncher les
contraintes quotidiennes, l'agrandissement de la
sensibilité demeure. C'est le propre de la vie
intérieure : elle mène sa vie à elle, même quand
la vie concrète semble inchangée. Certains, pour
lui être fidèles, commenceront à changer de
type d'existence, d'autres pas, mais ce n'est pas

91

ici la question. Dans les deux cas, le plaisir esthétique aura induit, par cet agrandissement de l'intériorité, un développement de soi.

En nous soufflant que l'autre – l'étranger, le mystique, le mafieux... – est un peu moins loin de nous qu'on ne le croit, en nous montrant que l'autre est un peu moins autre, la beauté nous dit aussi que nous sommes un peu plus que nous-mêmes.

Je pourrais illustrer cette idée par mon goût pour le rap d'Eminem ou de Booba. Je comprends les paroles d'Eminem, parfois racistes, homophobes ou antisémites. Pourtant, alors que je réprouve ce genre d'idées, j'éprouve un vif plaisir à écouter sa musique et son *flow* agressif, plein d'une rage pure et d'une belle énergie, où percent parfois de jolies esquisses de mélodie. Comment interpréter ce paradoxe ? Ce n'est pas parce que j'aime le rap d'Eminem que je vais adhérer à ses valeurs et devenir à mon tour un *white trash* amateur de Budweiser, de sweat-shirts trop grands et d'invectives racistes. Je crois toutefois qu'ici aussi mon émotion esthétique me rapproche un peu d'un lointain : finalement, le

white trash homophobe et raciste n'est pas aussi
loin de moi que je le pensais. Loin, certes, mais
pas infiniment loin : il n'y a plus entre lui et moi
l'abîme d'une distance infranchissable. Je le
comprends un peu mieux, mais sans y réfléchir
vraiment, sans aller jusqu'à l'idée que, peut-être,
si j'étais né ailleurs, si j'avais grandi dans un
autre contexte, j'aurais pu moi aussi n'avoir
d'autre possibilité, pour cesser de me laisser
écraser par la vie, que de devenir un *white trash*.
La beauté d'un morceau de hip-hop me rend
capable d'une forme d'empathie dont j'aurais
peut-être été incapable autrement. De même
avec le rappeur français Booba, glorifiant dans
ses textes l'efficacité des kalachnikovs et les
séances de musculation, les marques de baskets
et le Jack Daniel's, les grosses voitures et l'argent
facile du deal – Booba d'ailleurs installé à
Miami, après quelques séjours en prison, pour
ne pas payer d'impôts sur les énormes revenus
de ses disques d'or. Sa vision du monde se situe
aux antipodes de la mienne… Mais je suis tellement sensible à l'efficacité de son *flow*, à la
puissance symphonique de sa musique et à son
amour des mots, des allitérations et des rimes

internes jusque dans la grossièreté, que j'en viens à me dire, pensant à sa conception d'un monde où la revanche sociale se jugerait aux paquets de dollars amassés, au nombre de disques vendus et à celui des filles en bikini se tortillant autour d'une Ferrari : *Pourquoi pas ?*

Ce n'est d'ailleurs pas un hasard si, dans cet essai, lorsque je me mets à parler de moi, c'est souvent avec des exemples musicaux. Je crois que mon intérêt pour la philosophie du beau vient de l'intensité de mes premières émotions esthétiques, notamment à l'écoute de chansons de David Bowie, de Lou Reed ou de Ray Charles, de Jacques Brel aussi. Je me souviens de la première fois que j'ai entendu l'album *Magic and Loss* de Lou Reed, sur la route du lycée, mon casque de walkman sur la tête. Émotion pure, totale. « Le beau est l'éclat du vrai », affirma Hegel après Platon et même Plotin, comme je le découvrirais quelques années plus tard, en classe de terminale, à travers la parole d'un professeur de philosophie qui fut magasinier aux Halles et contrebassiste de Count Basie avant de passer, sur le tard, l'agrégation de philosophie. Le beau est l'éclat du vrai… « la splendeur du vrai », avait même écrit Platon… Exactement ce que je ressentais

Que me disait cette émotion ? Deux choses.

La première : il y avait un écart entre ma vie et ce qu'elle devait être, entre celui que j'étais et celui que j'aspirais à devenir.

La seconde : finalement, cet écart n'était pas de l'ordre de l'infiniment grand.

Le plaisir esthétique avait donc un double effet : il me faisait sentir que mon « moi idéal » était encore bien loin de moi mais, en même temps, il m'en rapprochait. Comme Lucie, il me semble, lorsque cette chanson surgie de l'autoradio l'a remplie d'un espoir nouveau. Ce n'était pas l'« étranger » oranais, le mafieux italien ou le *white trash* américain mais l'idéal du moi qui me paraissait soudain, grâce à la beauté, un peu moins loin de moi, un peu plus *envisageable*. C'est vers celui que je voulais être dans mes rêves les plus fous que je me sentais transporté. Vers l'Autre mais, ici, vers l'Autre Moi. Quand la musique est bonne, plus rien n'est impossible. Dès qu'il y a du beau, il n'y a plus d'impossible.

Il devient possible de devenir meilleur, de devenir pire, de devenir un autre, ou de devenir soi. C'est le danger, c'est la magie de la beauté.

Dire que la beauté symbolise des valeurs conduit à accorder une supériorité à la beauté artistique sur la beauté naturelle. Dès lors que cette beauté a été créée par un homme, un être de croyances et de valeurs, elle semble bien plus capable de symboliser du sens qu'une beauté naturelle, comme un paysage de montagne ou de mer. C'est en tout cas, logiquement, la position de Hegel lui-même[1], selon qui la beauté

1. « L'esthétique a pour objet le vaste empire du beau... et pour employer l'expression qui convient le mieux à cette science, c'est la philosophie de l'art, ou, plus précisément, la philosophie des beaux-arts.

Mais cette définition qui exclut de la science du beau le beau dans la nature, pour ne considérer que le beau dans l'art, ne peut-elle paraître arbitraire ? Il est vrai que toute science est en droit de se fixer l'extension qu'elle veut ; mais nous pouvons prendre en un autre sens cette limitation de l'esthétique. Dans la vie courante, on a coutume, il est vrai, de parler de belles couleurs, d'un beau ciel, d'un beau torrent, et encore de belles fleurs, de beaux animaux et même de beaux hommes. Nous ne voulons pas ici nous embarquer dans la question de savoir dans quelle mesure la qualité de beauté peut être attribuée légitimement à de tels objets et si en général le beau naturel peut être mis en parallèle avec le beau artistique. Mais il est permis de soutenir dès maintenant que le beau artistique est plus élevé que

artistique est bien plus intéressante, riche de
« tout ce qui s'agite dans l'âme humaine », que
l'artiste a eu le talent d'inscrire partiellement
dans la matière de son œuvre. Je crois toutefois
qu'il est aussi possible, contre cette position
hégélienne, de défendre le caractère symbolique
des beautés naturelles, de toutes les formes de
beautés non artistiques.

Lorsque notre dragueur compulsif se retrouve
fasciné par la beauté de cette jeune femme
brune, n'est-il pas soudain « connecté » à tout ce
que sa beauté symbolise ? Une forme de pureté
peut-être, une conception de l'existence ou de
la féminité qui souligne l'impasse de son addiction libidinale, bref des valeurs symbolisées par
la simple forme d'une démarche, par les traits
d'un visage à peine aperçus. Alors qu'il aurait
refusé tout discours, celui d'un ami par exemple,

le beau dans la nature. Car la beauté artistique est la beauté née
et comme deux fois née de l'esprit. Or autant l'esprit et ses
créations sont plus élevés que la nature et ses manifestations,
autant le beau artistique est lui aussi plus élevé que la beauté de
la nature. Même, abstraction faite du contenu, une mauvaise
idée, comme il nous en passe par la tête, est plus élevée que
n'importe quel produit nature ; car en un telle idée sont présents
toujours l'esprit et la liberté. » (Hegel, *Esthétique*, traduit de l'allemand par Samuel Jankélévitch, Aubier, 1944.)

venant questionner le sens ou le non-sens de son rapport aux femmes, il accepte, dans le moment de son émotion esthétique, cette mise en doute de son mode de vie et de ses valeurs. Ce que sa raison refuse, il l'envisage dans l'émotion esthétique.

De même l'incroyable quiétude d'une baie en Corse, en fin de journée, lorsque ciel et mer se confondent en un unique éblouissement, peut-elle indiquer l'idée de Dieu à un athée : il ne veut pas en entendre parler, mais il veut bien en voir la possibilité, dès lors que cette beauté inouïe, si parfaite, ne lui semble pas pouvoir être due au hasard. L'inverse pourrait d'ailleurs être tout autant affirmé : on peut trouver ce genre de beautés naturelles d'autant plus fascinantes qu'elles ne doivent justement rien à Dieu, et penser que le véritable miracle tient à l'existence d'une telle beauté *alors même que Dieu n'existe pas*. C'est dans ce cas précisément le miracle d'un monde harmonieux, mais ne devant rien à Dieu, que cette beauté symbolise : la contempler revient alors à épouser cette idée sans même y « réfléchir ». La beauté nous rappelle que penser n'est pas réfléchir, que nous avons ce pouvoir :

penser avec nos yeux, avec nos oreilles, avec notre sensibilité. Il arrive évidemment que devant l'énigme de la beauté naturelle, nous nous posions consciemment la question de Dieu, mais le plus souvent nous nous contentons de regarder, de nous laisser envahir par la beauté, sans même savoir que nous sommes en train d'envisager l'idée de Dieu...

Songeant à cette paix envahissant la baie corse, et le cœur de ceux qui la contemplent, on comprend mieux comment François Cheng a pu écrire, dans ses *Cinq méditations sur la beauté*, que « chaque expérience de beauté rappelle un paradis perdu et appelle un paradis promis[1] », que chaque fois elle semble nous restituer « la fraîcheur du matin du monde ». Et peu importe, encore une fois, que ce paradis ressorte d'une intention divine ou qu'il se mette à scintiller devant nous, comme par magie, sur fond de

---

1. François Cheng, *Cinq méditations sur la beauté*, Albin Michel, 2006 : « Autrement dit, dans la conscience en question, nostalgie et espérance confondues, chaque expérience de beauté rappelle un paradis perdu et appelle un paradis promis [...] Chaque expérience de beauté, si brève dans le temps, tout en transcendant le temps, nous restitue chaque fois la fraîcheur du matin du monde. »

l'absence de Dieu, c'est toujours un tel paradis que la beauté semble nous promettre.

Nous disposons donc, à ce stade de la réflexion, d'un éclairage possible de l'énigme par laquelle nous ouvrions cet essai : Pourquoi des formes superficielles nous touchent-elles si profondément ? Comment de simples formes peuvent-elles hypnotiser les animaux humains que nous sommes ? Réponse : Parce que les formes sont des symboles. Superficielles, par définition, elles renvoient à des motifs profonds. Peut-être même sommes-nous parfois allergiques à l'évocation rationnelle de ces choses profondes, ou simplement incapables d'en parler, effrayés par ces « gros mots » : Dieu, la vérité, le sens du monde...

Heureusement, la beauté est là pour nous en parler. Heureusement, il existe sur l'horizon des scintillements argentés pour nous parler de Dieu, et des criques, découpées dans le littoral, pour nous parler du bonheur. Comme il peut exister aussi des silhouettes de femme ou des rythmes reggae pour nous parler d'une autre vie possible. Et si c'était, paradoxalement, notre meilleure relation à l'abstraction ? Une relation sensuelle, esthétique, à des idées comme Dieu, le bonheur, la vérité, le sens de la vie... Une vie humaine peut-elle être vraiment accomplie sans la fréquentation de ce genre de questions ? Nous avons besoin de la beauté pour nous poser ces questions que, parfois, nous ne savons pas nous poser autrement. Nous avons besoin de la beauté pour nous rappeler ce que nous semblons souvent oublier : nous sommes faits, au contraire des autres mammifères, *pour* ce genre de questions.

Et si nous étions faits *par* elles ?

L'idée que la beauté porte du sens pourrait enfin venir éclairer la fascination que nous avons parfois pour certaines parties des corps qui nous attirent : tel homme fasciné par une forme particulière de seins, ou de fesses, tel autre par l'arrondi des épaules féminines, telle femme émue toujours par la cambrure du dos d'un homme, telle autre par le même type de visage, franc, carré. Ici aussi, ce ne sont que des formes. Mais ces formes symbolisent l'essentiel. Quoi ? Difficile de répondre, mais l'essentiel : quelque chose qui, pour celui que cette beauté émeut, ressemble à la vérité – la *symbolise*. Autrement, pourquoi ses yeux ne pourraient-ils s'en détacher ?

« L'être ne serait s'il n'apparaissait », écrivit Goethe, qui fut un temps proche de Hegel dans un cercle de jeunes romantiques. Au début du XIXe siècle, en Prusse, ces romantiques revalorisèrent l'apparence après une très longue histoire, ouverte par Platon, de condamnation philosophique de l'apparence. Dans un passage marquant de la *République*, Platon dévalorise le travail du peintre, le jugeant inférieur à celui de l'artisan. Il y compare l'idée du lit dans le « ciel des idées » (son essence, son principe : sa vérité) avec le lit réel fabriqué par l'artisan et la peinture du lit réalisée par l'artiste. L'artisan, en fabriquant un lit particulier, se situe à un « premier degré d'éloignement » par rapport à la vérité : le lit réel est bien loin de l'essence du lit, mais au moins il sert à quelque chose – on peut y dormir ! Le peintre, lui, se situe à un « deuxième degré d'éloignement » par rapport à la vérité : il ne représente même pas le lit mais simplement un aspect du lit, le lit vu sous un seul angle, arbitrairement choisi, au gré de son humeur, sans aucune nécessité intérieure, aucun souci du vrai. Conclusion de Platon : l'artiste vaut moins que l'artisan… Il ira même jusqu'à écrire qu'il faut « chasser les poètes de la cité », visant notamment les sophistes, ces artistes du discours politique, alors jugés responsables de la défaite d'Athènes contre Sparte. Il s'emportera contre ces sculpteurs, comme Phidias, modelant de belles formes destinées à plaire à l'œil humain, non à manifester une vérité pure des proportions. Dans sa célèbre allégorie de la caverne, il présentera des hommes victimes de l'apparence, confondant des formes, de simples ombres sur une paroi rocheuse, avec la réalité. Même si, dans le *Banquet*, Platon fera aussi de la beauté d'un homme un moyen pour son amant de s'élever, au travers de son désir, vers le Bien et le Vrai, tous les passages de son œuvre où il attaque violemment l'apparence marqueront considérablement l'histoire de l'Occident. Les deux grands moments de revalorisation de l'apparence seront le christianisme, puisque Dieu apparaît aux hommes au travers de son fils, et, au XIXe siècle, le romantisme allemand, avec Goethe, mais aussi Schelling, Schiller ou, justement, le jeune Hegel.

Hegel publia finalement sa magistrale *Esthétique* un an avant de mourir. Il n'eut donc pas le temps de constater l'ampleur des attaques qu'elle suscita. Quoi ? Quelle vision insupportablement intellectuelle ! Quelle insulte à la beauté pure ! Quelle négation de l'art pour l'art ! Quelle caricature de philosophe, cherchant encore et toujours le *sens*, même devant la beauté, incapable de se taire, de cesser de penser pour simplement contempler… On dénonça ainsi dans l'approche hégélienne une appropriation philosophique de l'art, une insensibilité à la beauté des formes en tant que beauté pure, qui ne se réduirait pas à une mise en forme de valeurs mais se tiendrait là, nue devant nous, dans son énigme à jamais irrésolue. Hegel fut parfois caricaturé en machine conceptuelle, prête à tout pour trouver du sens, de la Vérité, jusque dans de simples formes qui n'en demandaient pas tant…

Voilà en tout cas qui nous permet de poser le débat : Pourquoi est-ce beau ? C'est beau simplement parce que c'est beau, formellement beau ? Ou c'est beau parce que cette beauté suggère du sens, des valeurs ? Chacun d'entre nous est ainsi invité à questionner son plaisir esthétique, et Lucie la première, capable de s'émouvoir devant des installations d'art contemporain qui laissent la plupart des visiteurs interdits. La dernière fois, c'était à Paris, un samedi, au palais de Tokyo. Dans cette installation de Chen Zhen – l'œuvre porte pour titre *Champ de purification* –, un salon est entièrement recouvert d'une sorte de boue claire qui semble avoir figé le tout : canapés, lampes, table, télévision… Aucune trace de vie humaine au milieu de cette désolation. C'est à la fois doux et apocalyptique, mais nul doute : elle trouve cette œuvre belle et se laisse absorber dans la contemplation de cette installation. Ici aussi, deux lectures possibles : c'est beau parce que c'est beau, c'est tout. Les subtilités de l'ocre de la boue, cette étrange immobilité, cette scène du quotidien soudain vue autrement, devenue belle parce que bizarre, inhabituelle, métamorphosée. Ou alors : c'est beau parce que cette beauté symbolise des idées auxquelles elle ne veut ou ne peut penser (la fin du monde, l'imminence d'un drame immense, l'absence d'une vie humaine au milieu du règne des choses). Et les lignes pures de Mondrian ? Belles parce que belles, purement belles ? Ou purs symboles d'une vérité métaphysique ? Belles parce qu'elles ne renvoient à rien d'autre qu'à elles-mêmes ? Ou belles parce qu'elles désignent un au-delà d'elles-mêmes ? Et le fils de Lucie qui repasse en boucle « Sexy Back » de Justin Timberlake ? Pourquoi c'est beau, « Sexy Back » ? C'est beau simplement parce que ça sonne bien ? Ou parce que se trouve mise en musique une conception de l'existence qui lui parle, l'appelle, articulée autour de valeurs comme l'énergie et le style, le désir et la joie ? Les deux, aurez-vous peut-être envie de répondre, ce qui donnerait plutôt raison à Hegel.

Dans les deux cas, nous avons besoin de la beauté.

Dans le premier cas, nous avons besoin de la beauté pour arrêter enfin de penser. Dans le second, pour oser « penser » autrement.

Et si c'était, en fait, la même chose ?

Il y a un dernier argument de taille en faveur de cette théorie selon laquelle la beauté nous ferait « penser autrement » – penser avec notre corps, penser contre nos habitudes, « penser » de manière sensible de grandes idées abstraites...

Lorsqu'une œuvre d'art ne nous touche pas, qu'est-ce qui en effet peut nous y rendre sensible ? Peut-être justement la référence au sens qui est derrière, et que cette beauté évoque à sa manière. Les Parisiens se souviennent encore de cette installation immense de l'artiste Christo : le Pont-Neuf recouvert d'un linge blanc, tout entier *emballé*, en face de la Samaritaine qui n'avait pas encore fermé. C'était en 1985 et ce fut d'abord un scandale. Des Parisiens exaspérés, agglutinés dans les embouteillages créés par la fermeture du Pont-Neuf, découvrant en même temps sur France Info le coût exorbitant de cette installation subventionnée... Jusqu'à ce que le charme opère. Jusqu'à ce que le voile blanc, recueillant l'humidité de la Seine, se mette à épouser les formes du plus vieux pont de Paris. Jusqu'à ce que les citadins redécouvrent la beauté de ce pont qu'ils ne voyaient plus, trop habitués à l'utiliser pour se rendre au bureau. Jusqu'à ce que leur regard change, que l'agacement se transforme en émerveillement. Il aura fallu voiler le Pont-Neuf pour le dévoiler, le recouvrir pour le redécouvrir. Et tuer l'*homo routinicus* pour réveiller l'esthète en lui. Mais comment ? Qu'est-ce qui s'est passé ? Une foule de petites théories se sont mises à circuler, c'est la recherche du sens possible de cette installation monumentale qui a rendu certains Parisiens sensibles à son étrange beauté. Différentes propositions de sens se firent soudain la guerre. Pour les uns, il s'agissait de dénoncer la civilisation de la consommation et de l'emballage, le Pont-Neuf étant situé juste en face de la Samaritaine, dont tous les consommateurs ressortaient des paquets emballés sous le bras. Pour les autres, de rappeler l'âge d'or de la statuaire grecque puisque les statues y étaient présentées selon le même principe : recouvertes de linges humides et blancs servant à relever leurs formes subtiles, leur beauté. Pour d'autres encore, de montrer aux passants combien ils ne savent plus voir, combien leurs yeux sont éteints par l'habitude et la recherche de l'utile, en les obligeant, enfin immobiles dans l'embouteillage immense, à rouvrir les yeux. Et c'est finalement de trouver du sens à cette beauté qui la leur rendit belle, *simplement* belle pourrions-nous ajouter. Car une fois que cette beauté est perçue comme symbolisant du sens – comme le symbole de la civilisation de l'emballage, de l'étroitesse de notre rapport utilitaire au monde... –, rien ne l'empêche d'être ensuite perçue comme simplement belle. Nombre de Parisiens restèrent ainsi en arrêt, durant les deux semaines que dura l'expérience, devant la beauté de ces grandes formes blanches, comme vivantes d'une vie mystérieuse et multiséculaire, sans plus se poser de questions...

J'ai vécu une expérience similaire avec la peinture flamande. Je n'avais jamais été sensible à ces peintures de scènes de fêtes villageoises, fréquentes chez Bruegel l'Ancien, Van Osten, Steen... Ces petits personnages comme sortis d'un livre pour enfants, dessinés très précisément, ces banquets ruraux réunissant, au bord de ports ou de patinoires, des paysans, commerçants ou villageois aux joues rougies par le vin...

ne m'avaient jamais touché. Et puis j'ai lu Hegel expliquant, dans l'*Esthétique*, combien ce type de peinture symbolise la teneur de l'esprit flamand. Les Hollandais, raconte-t-il, eurent à supporter une Histoire difficile : asservis par de grandes puissances, handicapés politiquement par leur géographie, souffrant d'un climat peu clément, travaillant dur, le plus souvent au service de ceux qui les dominaient. Pourtant, montre magistralement Hegel, cette Histoire violente, loin de les rendre fatalistes ou aigris, a développé en eux le sens des plaisirs simples, comme celui de se retrouver, tous ensemble, rituellement, dans une euphorie partagée, malgré les difficultés de l'Histoire et de la vie. C'est ce que Hegel nomme joliment le « dimanche de la vie ». Même lorsque la semaine a été dure, il reste le dimanche pour se retrouver, boire et danser, le dimanche pour être ensemble, malgré tout. Le « dimanche de la vie » est même d'autant plus beau que la semaine a été dure. Le dimanche de la vie est cette vérité de l'esprit flamand que leur peinture symbolise en beauté. Depuis que j'ai lu cette analyse hégélienne, j'aime les tableaux de Bruegel ou de Steen, j'aime ces scènes de convivialité ivre et de liesse populaire – c'est comme si j'avais appris à regarder. La notion du « dimanche de la vie » a changé ma façon de voir ; le sens m'a rendu sensible au sensible, à la beauté. Et maintenant que les années ont passé, je ne pense plus au « dimanche de la vie » mais j'aime toujours autant la beauté de ces traits de peinture précis et colorés. Je ne pense plus au « dimanche de la vie » mais je le *vois* probablement, comme d'ailleurs tous ceux qui aiment à contempler ces œuvres de la peinture flamande. Car la vérité de cet art, son « contenu substantiel » aurait dit Hegel, c'est de donner à voir le « dimanche de la vie ». C'est là l'originalité, la radicalité surtout, de la thèse de Hegel : la beauté ne symbolise pas du sens relatif à chacun, vous ne pouvez pas aimer un tableau de Bruegel ou de Steen pour ce qu'il symbolise pour vous, et moi pour ce qu'il symbolise à mes yeux, autrement il n'y aurait aucune vérité dans l'art. Si vous aimez cette fête villageoise de Steen, c'est que vous êtes sensible au « dimanche de la vie » : c'est que la vérité du dimanche de la vie plaît en même temps à vos yeux et à votre esprit. Nous ne sommes pas obligés, bien sûr, de suivre Hegel jusqu'à cette extrémité, et de considérer que la beauté artistique symbolise une vérité universelle. Pour comprendre vraiment sa thèse, il faudrait expliquer pourquoi, chez Hegel, toutes les grandes œuvres humaines manifestent le progrès d'une seule Vérité universelle, ce qui n'est pas l'objet du présent livre. Nous pouvons toutefois retenir de ce détour par Hegel la manière dont la référence au sens de la beauté peut nous rendre capables de l'apprécier enfin, combien le détour par le sens peut nous ouvrir les yeux.

Impossible d'en dire autant du détour par toutes les considérations purement formelles des partisans de l'art pour l'art. Si la peinture flamande vous laisse froid, ce n'est pas la référence aux règles savantes de proportion ou d'harmonie des couleurs qui va vous y rendre sensible. Impossible aussi de vous rendre sensible à une beauté qui vous laisse de marbre avec une argumentation de type kantien : si c'est beau parce que c'est beau, si c'est beau justement parce qu'il n'y pas de parce que, alors il n'y a rien à dire à celui que cette beauté indiffère. Des goûts et des couleurs, en effet, on ne discute pas...

Dire que la beauté porte des valeurs, c'est affirmer que nous avons besoin d'elle pour mieux nous connaître. Mieux connaître celui que nous sommes déjà lorsque, chrétiens, nous sommes éblouis par la beauté de Notre-Dame de Paris et lorsque l'architecture tout entière de la cathédrale nous paraît confirmer l'objet de notre foi. Mieux connaître celui que nous pourrions ou aurions pu devenir lorsque, citoyens légalistes, nous sommes fascinés par l'esthétique du *Parrain* et la gestuelle d'Al Pacino. Mais finalement, c'est toujours de moi que la beauté me parle : elle est un miroir qui me renvoie à ce que je suis ou à ce que je rêve d'être, parfois aussi à ce que je ne voudrais surtout pas être, mais avec lequel je me découvre alors une étrange proximité.

Ainsi s'éclaire parfaitement l'objection de Hegel à l'esthétique kantienne : « ce qui s'agite dans l'âme humaine », c'est la quête du sens. C'est donc le sens qui se devine au cœur de la beauté lorsqu'elle a ce pouvoir de nous fasciner. C'est ce mélange de sens et de beauté qui nous captive, cette manière dont la forme symbolise le fond. « La forme, c'est le fond qui remonte à la surface », écrivait Victor Hugo. Lorsque la belle forme nous fascine, nous laisse immobiles et muets, c'est que nous devinons le fond qui remonte à la surface.

Nous « devinons » mais, comme nous l'avons déjà suggéré, nous n'avons pas besoin d'être conscients de ce sens pour qu'il nous touche. Les Grecs en arrêt devant les formes parfaites d'Apollon sont éblouis par le spectacle de l'idée même d'une vie harmonieuse… mais sans avoir besoin de se le formuler consciemment. Notre séducteur compulsif n'a pas besoin de comprendre que la silhouette de cette femme croisée sur le trottoir lui raconte une autre vie possible pour que ce soit la raison même de son émoi. D'ailleurs, s'il le comprenait, serait-il aussi fasciné ? Le fils de Lucie commence par s'arrêter, au musée d'Orsay, devant la *Terrasse de café la nuit* de Van Gogh. Qui sait si ne s'ouvre pas là un chemin qui le conduira à défendre le pouvoir de la folie contre les vues étriquées de la raison ? Mais à l'instant de son plaisir esthétique – celui, donc, d'une rencontre sensuelle avec du sens –, il n'est conscient de rien : c'est juste un jaune étrange avec des formes tremblées. D'une certaine manière, la beauté fait diversion : elle éblouit par ses formes singulières pour mieux glisser l'occasion d'une rencontre avec du sens. Ce qui nous intéresse ici n'est toutefois pas la dangerosité de la beauté, mais le fait que, chez Hegel déjà, en 1830, se trouve présente l'idée d'une dimension inconsciente du plaisir esthétique.

Souvenez-vous d'ailleurs : lorsque nous avions évoqué la manière dont Kant se confronte à l'énigme du plaisir esthétique, nous avions remarqué qu'il semblait pressentir, dès la fin du XVIIIe siècle, une dimension de la psyché humaine alors insoupçonnée. Il s'étonnait du fait que ce plaisir particulier, offert par la beauté, ne soit ni vraiment sensuel ni vraiment intellectuel, tout en étant quand même en partie sensuel et en partie intellectuel. Et il en concluait que le plaisir esthétique mettait en jeu notre nature humaine de manière inédite, originale : en créant cet accord entre notre corps et notre esprit qui d'habitude sont en conflit, une harmonie interne au cœur de laquelle aucune de nos facultés ne l'emporte sur l'autre. Puisque ce plaisir n'était ni purement sensuel, ni véritablement intellectuel, il fallait donc qu'il se joue pour Kant *entre* les deux : c'est qu'à l'époque l'homme était corps et esprit, rien d'autre. Pourtant c'est comme si Kant, dans son génie même, avait senti la présence, en l'homme, d'une autre dimension, qui ne soit ni du corps ni de l'esprit, et qui serait précisément celle que la beauté satisfait. Bien sûr il l'a dit avec les mots de son temps, avec les catégories de sa pensée et de son époque : un « jeu libre et harmonieux des facultés humaines »... Mais ce que nous pouvons entendre, en lisant ces pages intrigantes où Kant se confronte à la question du sentiment du beau, offrant un superbe exemple de philosophe au travail, essayant de modeler une matière qui lui résiste, c'est peut-être tout simplement l'existence de l'inconscient. Qu'est-ce qui, en effet, en l'homme, n'est ni du corps ni de l'esprit ? N'est-ce pas, précisément, l'inconscient ?

116

Notre dragueur de rue se souvient soudain d'une scène pénible – ce qui d'ailleurs interrompt illico sa course vers une jolie passante. La scène se joue sur une plage, avec la mère de son fils, peu de temps avant leur rupture. Ils sont assis côte à côte, les pieds dans le sable, face à la mer. Les vaguelettes se brisent à leurs pieds dans un mouvement très doux. Pris d'un élan de tendresse, il lève son bras pour la prendre par l'épaule, la serrer contre lui. Mais le geste est maladroit, le bras levé trop vite : il lui heurte la joue du dos de sa main. Une claque... « sans le faire exprès ». Comment expliquer cette gifle malheureuse ? Pas par son corps : l'état de ses muscles n'est pas la cause de ce geste malheureux. Ni par son esprit : il ne l'a pas voulu, encore moins pensé. Ni par son corps, ni par son esprit, mais par son inconscient : l'« acte manqué », c'est l'inconscient qui réussit à s'exprimer. C'est d'ailleurs ce qu'elle lui a reproché, les larmes aux yeux :

— Ce n'est pas un hasard, il n'y a *jamais* de hasard, tu as la haine contre moi.

— Je ne l'ai pas fait exprès, je te jure, je voulais t'embrasser, a-t-il bredouillé.

Les deux avaient raison : il voulait l'embrasser, il voulait la frapper. Consciemment, il voulait la sentir tendrement blottie contre lui. Inconsciemment, il voulait la frapper. Difficile condition de l'animal humain, vrillé d'ambivalence... Et la plage n'y change rien.

Dans un petit essai lumineux, mais très sombre, publié en 1929, *Malaise dans la civilisation*, Freud développe une thèse après laquelle il n'est plus possible de regarder l'humain comme avant. Le malaise dans la civilisation vient de ce qu'elle nous a obligés, dès notre naissance, à refouler des pulsions agressives, naturelles mais asociales. C'est grâce à ce refoulement que, très vite, le petit mammifère devient un authentique sujet humain. Devenir humain se fait donc au prix d'une violence imposée à notre nature sauvage. Le refoulement, toutefois, ne tue pas les pulsions : censurées, elles se font oublier de la conscience mais viennent constituer, par stratifications successives, l'inconscient de chacun. Le refoulement signifie en fait simplement que nous ne nous autorisons plus à avoir conscience des pulsions qui nous habitent. Mais elles sont toujours en nous et il leur faut trouver un moyen de satisfaction détournée. Les pulsions, avant le refoulement, sont du « corps ». Une fois refoulées, elles deviennent de l'« inconscient » : une sorte de mémoire immatérielle de notre corps, comme si chaque cellule de notre corps se souvenait du refoulement qui a fait de nous un humain. L'inconscient est la marque en nous de cette aventure violente et merveilleuse par laquelle nous sommes *devenus* des hommes. Comment se manifeste-t-il ? Sous la forme d'une énergie, associée à toutes ces pulsions refoulées, essentiellement agressives ou sexuelles : la libido. Quel rapport avec la beauté, me direz-vous ? Un rapport direct. Il y a en effet peut-être une solution à ce malaise. Il faut trouver une *satisfaction de substitution*, écrit Freud, à ces pulsions refoulées, une manière pacifique et spirituelle de satisfaire notre agressivité. Or, cette satisfaction est justement, selon Freud, celle que la beauté est capable de nous proposer. Cette « solution par la beauté », que Freud nommera « sublimation », est l'une des pistes les plus originales et les plus fructueuses de son œuvre.

Il suffit d'ailleurs de revenir sur les situations que nous avons déjà évoquées pour mesurer ce qui manque à nos analyses passées : l'émoi de Lucie dans sa voiture, l'effet miraculeux de cette chanson française ou du concerto de Bach sur son état, son fils absorbé dans la contemplation de la *Terrasse de café la nuit* de Van Gogh, cette certitude qu'il a que ce tableau est fait pour lui, lui raconte quelque chose de sa propre vie, cette impression que nous avons tous, lorsque la voix d'un chanteur nous subjugue, qu'elle touche à quelque chose de vrai, de rare et de profond, en avons-nous vraiment éclairé le mystère ?

Dans le sillage de Kant puis de Hegel, nous avons pu comprendre en quoi le beau était plus que de l'« agréable ». Trouver une chanson simplement « agréable », c'est probablement avouer qu'elle ne nous fait pas grand-chose, confesser l'absence d'émotion esthétique véritable. La pure présence à soi et au monde que la beauté naturelle offre à celui qui la contemple est plus qu'« agréable » : si elle n'était qu'agréable, écrit Kant, elle constituerait un plaisir simplement sensuel, non cette harmonie interne de toutes nos facultés. Si la beauté n'était qu'« agréable », poursuit Hegel, elle ne porterait pas du sens, ne véhiculerait pas de valeurs. Nous avons même montré en quoi nous aimions peut-être que la beauté nous dérange, nous souffle qu'il est d'autres valeurs possibles, moins proches de nous, moins consensuelles, voire moins morales – ce qui ne ressort pas du domaine de l'« agréable ». Nous avons arraché le beau à la sphère de l'agréable, ce n'est déjà pas si mal : beaucoup aujourd'hui voudraient réduire le plaisir esthétique à une expérience plaisante, comme s'il pouvait être assimilé à l'écoute d'une jolie musique d'ambiance, comme si la déambulation dans une boutique aux lignes épurées, aux couleurs et aux parfums idéalement agencés, pouvait constituer une expérience esthétique forte – comme si la rencontre du beau pouvait se réduire au bien-être d'une ambiance *lounge*.

Mais comprendre que ce « quelque chose de vrai, de rare et de profond » se situe bien au-delà de l'agréable ne suffit pas à en élucider le mystère… Nous avons cru voir cette « chose profonde », avec Kant, dans notre nature humaine réconciliée puis, avec Hegel, dans la vérité devenue sensible. Peut-être que nous pourrions progresser dans notre recherche, et approcher d'un peu plus près l'énigme du plaisir esthétique, en rectifiant légèrement ces deux propositions.

Lucie suit le flot heurté de l'embouteillage, tendue, presque abattue, quand soudain la voix de Michel Berger l'apaise : sa nature humaine se trouve-t-elle vraiment « réconciliée » ? Peut-on vraiment affirmer qu'elle soit, à cet instant précis, « réconciliée avec elle-même » ? Je ne le crois pas. J'aurais plutôt envie de dire qu'une telle réconciliation avec elle-même redevient soudain un espoir, qu'elle lui paraît subitement possible, mais sans pour autant avoir lieu. Le plaisir esthétique, c'est d'entrevoir cette réconciliation totale d'elle-même : d'en éprouver la *possibilité*, non de l'éprouver vraiment. De même, lorsque la profondeur du jaune de Van Gogh hypnotise son fils, je ne pense pas qu'il voie, comme le soutiendrait Hegel, la vérité – de la vie, de la condition humaine… – devenue sensible, qu'il ait en face des yeux le sens même de la vie. Bien plus probablement entrevoit-il simplement ce sens, qui se dérobe à l'instant même où il pourrait être saisi. Autrement dit, la beauté promet un sens qu'elle ne délivre finalement pas, comme elle promet une réconciliation avec soi qui est, en fait, impossible. Pourquoi cette réconciliation est-elle impossible ? Pourquoi le sens du beau ne peut-il que se dérober ?

Parce que la « chose profonde » autour de laquelle nous tournons est peut-être plus profonde encore que ce que nous en avons dit : profonde comme cette libido – ou plutôt l'origine même de cette libido – que nous ne voulons pas voir, que nous ne *pouvons* pas voir.

III

SUBLIMER SA LIBIDO

Nous avons besoin de beauté pour satisfaire de manière spirituelle nos pulsions agressives et sexuelles refoulées. Sous certaines conditions, qu'il va nous falloir maintenant détailler, la rencontre avec la beauté peut nous permettre d'exprimer de manière civilisée la violence que la civilisation nous a justement interdit de satisfaire. Nous comprendrions alors mieux pourquoi elle fascine tant. Si Freud voit juste, la beauté procure à l'homme l'occasion d'une rencontre autorisée, et même valorisée, avec l'interdit. Elle autorise l'homme à laisser battre en lui une dimension de sa vie violente que, d'habitude, la civilisation réprouve. Elle offre la possibilité, par le plaisir esthétique qu'elle suscite, d'une parenthèse miraculeuse dans la vie de l'homme civilisé : elle est alors l'occasion d'une intense jouissance inconsciente. Et ce, précise Freud, aussi bien chez le créateur que chez le spectateur de l'œuvre.

Je me souviens soudain, écrivant ces lignes, de ma tristesse devant ce tableau de Picasso : *La femme qui pleure*. Une tristesse amère, et même exaspérée... Mes enfants étaient là, petits esthètes appréciant les couleurs et les formes. Dora, la femme qui pleure : oh ! le joli tableau... Nous défilions avec d'autres familles, en ce dimanche au musée, devant la grande œuvre du génie, bien pratique en effet : du Picasso pour les parents, de la couleur pour les enfants. J'avais ressenti un agacement analogue, à Madrid, au musée Reina Sofía, devant *Guernica* du même Picasso. Le hasard avait placé quelques Français autour de moi, et j'entendais des bribes de phrases : « art engagé », « message pacifiste »... Tout était donc pour le mieux dans le meilleur des mondes civilisés : le tableau était beau et le message humaniste... On oubliait l'essentiel, on oubliait la sauvagerie, on ne voulait pas la voir ; peut-être même était-on là *pour ne pas la voir*. J'aurais pu prendre ma petite fille par la main et lui parler en ces termes :

« Tu vois, Dora, elle pleure parce que Picasso était un sauvage, un ogre qui dévorait les femmes qu'il aimait, surtout celle-là, Dora, qui porte, en effet, le même prénom que la Dora de ton dessin animé, oui, c'est ça, Dora l'exploratrice, Dora donc dont les larmes furent bien réelles, dont la dépression fut bien réelle, que même Jacques Lacan ne parvint à guérir, et qui finit par se suicider. Tu vois cette femme qui pleure, elle a vraiment pleuré mais nous tous qui passons, bien vêtus, devant elle comme devant tant d'autres œuvres, nous n'y pensons même pas. Pourquoi ? Parce que nous reconnaissons implicitement au génie le droit d'être un ogre, en échange de ce qu'il apporte à la civilisation. Parce que nous préférons ne pas voir ce qui nous fascine. Parce que peut-être, inconsciemment, ce qui nous séduit ici tient à la violence de cette femme qui pleure, ou de cet homme qui la fait pleurer. Parce que Picasso nous donne, par son art, le droit d'exprimer de façon civilisée et mondaine une violence en son fond asociale, agressive, sexuelle, cette même violence que la civilisation nous a obligés à refouler et qu'elle nous propose maintenant de sublimer, dans l'enceinte bien délimitée du musée. Quant au "message" pacifiste de Picasso dans *Guernica*… Comment ne pas voir qu'à l'instant où, devant *Guernica*, nous évoquons son engagement pacifiste et sa dénonciation du bombardement de civils, nous assouvissons nous-mêmes des pulsions agressives ou guerrières, réveillées par les formes et les tons de la toile de Picasso ? Comment ne pas voir que Picasso, lui aussi, sublimait sa propre libido, sa propre agressivité asociale, à l'instant même où il peignait cette toile géante aux thèmes pacifistes, commandée par le gouvernement républicain ? Évidemment, cette violence, cette agressivité… nous ne les assouvissons qu'indirectement, de manière oblique, sublimée – bref, civilisée. Voilà pourquoi, en effet, tout est pour le mieux dans le meilleur des mondes. La culture nous a obligés à censurer, lorsque nous étions enfants, tout ce qui en nous s'opposait à son triomphe ; elle nous donne maintenant l'occasion de satisfaire, un dimanche au musée,

cette vie au fond de nous qui depuis si longtemps, plus longtemps encore pour moi que
pour toi, réclame son dû. Et nous ne nous en
rendons même pas compte. »

J'aurais pu dire tout cela à ma petite fille, mais
je n'ai rien dit. Mes enfants se sont mis à courir
partout, un gardien nous a rappelés à l'ordre,
précisant que ce n'était vraiment pas le lieu, et
nous sommes allés acheter des glaces.

À ceux qui jugeraient cette vision trop pessi-
miste, il faut rétorquer que Freud la développa
dans les années trente, après plusieurs décennies
de pratique clinique – après, donc, avoir entendu
son lot d'hommes et de femmes allongés sur le
divan. C'est ce qui distingue le propos freudien
sur la culture de celui des philosophes qui se sont
intéressés à la même question. Lorsque, par
exemple, Rousseau définit la culture comme un
processus de dénaturation d'un homme bon à
l'origine, il développe une conception de
l'homme à l'état de nature qui n'est qu'une fiction – une « fiction de l'origine » –, assumée d'ailleurs comme telle. Lorsque Kant définit la nature
humaine comme essentiellement « méchante » et

le progrès de la culture comme un effort moral pour s'arracher à cette méchanceté naturelle, il théorise à son tour en philosophe, rencontrant au quotidien un très grand nombre de livres mais un nombre limité d'humains. Freud est confronté à la réalité humaine d'une tout autre manière . pendant des années, des décennies même, ses journées entières se passent à écouter des hommes et des femmes aux prises avec leurs souffrances, tentant de dire ce qui ne va pas, de nommer « ce qu'il y a ». Il en a vu des corps tordus, épinglés sur le divan par une histoire insue, des visages affligés de rictus, des vies abîmées incapables de se dire. Lorsqu'il en arrive, en 1929, à ce constat que l'être humain est hanté par les différentes formes de son agressivité – à l'égard des autres comme de soi-même –, il sait de quoi il parle. Freud a d'ailleurs développé, dans les deux décennies précédentes, une lecture plus optimiste de l'humain. Il a cru notamment en le pouvoir de la psychanalyse de guérir la plupart des névroses ; il a même pensé que les symptômes pouvaient disparaître, presque miraculeusement, au moment de la prise de conscience par le patient de certains désirs refoulés. Mais il est revenu de son optimisme, et c'est de cette désillusion dont témoigne *Malaise dans la civilisation*. Ce pessimisme avait commencé à pointer auparavant, dans un texte intitulé *Au-delà du principe de plaisir*, où il faisait le constat que si, souvent, l'homme ne veut pas guérir, s'il est attaché à son symptôme, c'est que la répétition de ce dernier lui procure, malgré l'évident déplaisir conscient, malgré la souffrance objective, une jouissance inconsciente – autrement il réussirait bien plus facilement à s'en débarrasser. D'où le titre de ce texte : *Au-delà du principe de plaisir*. Si, en effet, nous recherchions le plaisir avant tout, nous réussirions bien mieux à combattre ces symptômes qui nous font tant souffrir. Mais il y a une part de nous qui vit « au-delà du principe de plaisir », qui recherche inconsciemment notre malheur, la répétition de ce qui nous fait du mal. Impossible dès lors de continuer à affirmer comme Pascal dans les *Pensées*, ou comme le sens commun, que « tous les hommes veulent être heureux, même celui qui noue la corde pour se pendre ». C'est cette part de nous que Freud nomme alors « pulsion de mort », pour l'opposer à la « pulsion de vie », mais que nous pouvons simplement comprendre comme une forme d'agressivité première, héritée de l'évolution passée de notre espèce. Freud montre que cette agressivité peut viser aussi bien les autres que soi-même : nous pouvons vouloir faire du mal aux autres comme nous pouvons vouloir nous faire du mal. La civilisation nous interdit d'agresser les autres ? Il ne nous reste plus qu'à nous agresser nous-mêmes ! C'est ce que nous faisons, par exemple, en répétant les comportements pathologiques qui nous interdisent le bonheur, ou alors en développant un fort sentiment de culpabilité : comme nous ressentons ce désir d'agresser les autres que nous n'avons plus le droit d'éprouver, nous le refoulons et le retournons contre nous sous la forme d'une conscience morale réprobatrice. Ce sentiment de culpabilité que nous connaissons tous, à différents degrés, est ainsi une des formes principales de ce « malaise dans la civilisation ». Si, souvent, nous nous sentons coupables sans avoir rien fait de mal, c'est que, précise Freud, pour les animaux civilisés que nous sommes, le sentiment de culpabilité est aussi fort lorsque nous avons vraiment mal agi que lorsque nous en avons eu simplement l'intention.

« À quels moyens recourt la civilisation pour inhiber l'agression ? » demande ainsi Freud. « L'agression est "introjectée", intériorisée, mais aussi, à vrai dire, renvoyée au point même d'où elle était partie : en d'autres termes, retournée contre le propre Moi. Là, elle sera reprise par une partie de ce Moi, laquelle, en tant que "Surmoi", se mettra en opposition avec l'autre partie. Alors, en qualité de "conscience morale", elle manifestera à l'égard du Moi la même agressivité rigoureuse que le Moi eût aimé satisfaire contre des individus étrangers. La tension née entre le Surmoi sévère et le Moi qu'il s'est soumis, nous l'appelons "sentiment conscient de culpabilité" ; et elle se manifeste sous forme de "besoin de punition". La civilisation domine donc la dangereuse ardeur agressive de l'individu en affaiblissant celui-ci, en le désarmant, et en le faisant surveiller par l'entremise d'une instance en lui-même, telle une garnison placée dans une ville conquise[1] » Paradoxale vie que

---

1. Freud, *Malaise dans la civilisation*, traduit de l'allemand par Ch. et J. Odier, PUF, 1934.

celle des animaux civilisés que nous sommes devenus : nous avons remporté une victoire sur la sauvagerie, mais c'est aussi cette victoire qui nous fragilise. Comme si nous étions les victimes de notre victoire. Victoire relative, toutefois, si l'on en juge par cette scène que je n'ai pour l'instant relatée qu'à moitié.

Souvenez-vous de Lucie, dans sa voiture. C'était juste avant que Michel Berger ne reprenne le refrain de « La Minute de silence », juste avant que le rythme lent de la chanson et la voix habitée de Michel Berger ne lui réchauffent l'âme. Le conducteur devant elle pile brutalement et elle se jette sur la pédale de frein, les bras crispés sur le volant, en s'abîmant le dos encore un peu plus. Qu'a-t-elle hurlé alors, que j'ai pour l'instant omis de mentionner ? « Crève, connard ! » Et juste après, un autre : « Connard ! » Écoutons maintenant en écho un extrait de Freud, issu des *Considérations actuelles sur la guerre et sur la mort* publiées en 1915[1] : « Chaque jour, chaque heure, dans nos motions

1. In *Essais de psychanalyse*, traduit de l'allemand par Samuel Jankélévitch, Payot, 1968

136

inconscientes, nous écartons de notre chemin ceux qui nous gênent, ceux qui nous ont offensés et lésés. Le "Que le diable l'emporte" qui nous vient si souvent aux lèvres quand notre mauvaise humeur se dissimule derrière une plaisanterie et qui signifie en réalité "Que la mort l'emporte", c'est dans notre inconscient un désir de mort sérieux et plein de force. Bien plus, notre inconscient tue même pour des choses insignifiantes. » Ce que dit Freud est très simple : à cet instant précis, Lucie voulait vraiment tuer son voisin d'embouteillage ; c'était plus qu'une simple expression. Mais elle n'en a pas le droit. C'est même ce genre d'interdit qui, intériorisé dès son plus jeune âge, a permis en quelques mois la métamorphose du petit mammifère qu'elle était en un véritable sujet humain. Parmi ses pulsions naturelles, un grand nombre furent ainsi interdites dès sa naissance, puisqu'elle est arrivée à la vie dans une civilisation déjà saturée de normes et d'interdits : interdit de tuer, interdit d'agresser, interdit de voir certaines choses, notamment celles qui se passaient derrière la porte de la chambre de ses parents, interdit d'écraser l'adorable petit nez de sa sœur cadette, accueillie telle la divine enfant par ses parents trois ans après sa naissance, interdit d'« avoir » son père pour elle toute seule, ce père aimant sa mère d'un amour différent de celui qu'il éprouvait à son égard. Toutes ces pulsions naturelles mais interdites par la civilisation, toutes ces pulsions agressives et sexuelles asociales, elle les a censurées, le plus souvent sans le savoir, et elles sont venues constituer cette dimension d'elle-même qu'elle ne veut pas voir : son inconscient, que Freud nomme le « Ça ». Et lorsqu'il lui reste encore de l'agressivité à revendre, lorsqu'il lui faut absolument agresser quand même, alors c'est elle qu'elle agresse et elle se sent affreusement coupable. Elle rentre par exemple à la maison le soir et ne supporte plus cet homme qui ne voit plus rien de sa fatigue, plus rien de sa beauté non plus, bien sûr qu'elle rêve parfois de le tuer, elle l'aime encore mais cela ne l'empêche pas d'avoir aussi en elle ces brusques élans de haine que sa conscience refuse : alors elle se condamne, elle se méprise, elle se punit elle-même sans le savoir par ce sentiment intense de culpabilité. Voilà le « malaise dans la civilisation ». Pourquoi la chanson de Michel Berger pourrait-elle constituer une solution à ce malaise ? Pourquoi l'émotion esthétique pourrait-elle venir satisfaire son agressivité refoulée et la sauver, la délivrer de sa culpabilité ? Parce que la pulsion humaine est souple : elle peut trouver à se satisfaire avec un objet autre que celui prévu par la nature. Cette plasticité de la pulsion humaine est la plus grande des découvertes de Freud.

L'animal humain est le seul capable de satisfaire son agressivité d'une manière non agressive, le seul à pouvoir satisfaire des pulsions sexuelles d'une manière non sexuelle. Impossible d'imaginer un lion satisfaisant son agressivité de manière non agressive, ou un lapin assouvissant son instinct sexuel de manière non sexuelle. C'est que l'instinct animal est rigide : il vise l'objet que la nature lui a fixé ; il ne peut dévier de son but. La pulsion humaine, souple, peut être détournée de son but premier et réorientée vers un but non naturel, un objet de substitution que la civilisation lui propose : la beauté. Mais pour que la pulsion humaine – agressive, sexuelle, possessive... – puisse être déviée de son but premier, il faut d'abord qu'elle

139

ait été interdite, refoulée. Alors sera produite cette énergie – la libido – qui va pouvoir être réinvestie dans le plaisir esthétique. L'émotion esthétique est ainsi définie comme la sublimation de pulsions sexuelles ou agressives refoulées : la satisfaction indirecte, spirituelle, civilisée, des pulsions que cette même civilisation nous a obligés à censurer, pour l'essentiel dans notre petite enfance. On comprend mieux pourquoi Freud présente la sublimation comme la solution au « malaise dans la civilisation ». Le malaise vient de ce conflit, en nous, entre notre « Surmoi » et notre « Ça » : entre la part de nous qui interdit l'expression de nos pulsions asociales et celle qui continue à réclamer leur satisfaction, entre les exigences de la société et celles de l'individu pulsionnel. C'est ce conflit qui nous constitue comme humains, mais aussi nous épuise, nous déchire sans cesse. Voilà pourquoi l'émotion esthétique est si forte : en elle, durant le très court instant de ce plaisir bizarre, c'est comme si ce conflit cessait. Pour une fois, notre « Surmoi » nous autorise à satisfaire ce que notre « Ça » réclame. Cela est bien sûr d'autant plus étrange que le « Ça » est précisément constitué

de toutes les pulsions interdites par le « Surmoi ».
Pour une fois, nous semblons échapper au conflit
qui nous fait hommes. Ce ne serait d'ailleurs pas
le moindre des paradoxes que nous soyons à cet
instant plus humains que jamais...

Kant présentait le plaisir esthétique comme la
fin du conflit entre le corps et l'esprit. Chez
Freud aussi le plaisir esthétique constitue une
trêve dans le conflit de notre humanité, mais
une trêve dans le conflit entre le « Ça » et le
« Surmoi ». Retenons le point commun : nous
avons besoin de la beauté pour entrevoir notre
impossible harmonie intérieure. Mais peut-être
que de simplement l'entrevoir, de l'éprouver un
seul instant nous fait un bien fou, nous remplit
d'une promesse qui n'a pas besoin d'être tenue
pour nous sauver déjà. Pensez à la force de ce
conflit en vous. D'un côté, toute cette agressivité
refoulée depuis vos premiers mois, tout ce à
quoi vous aspiriez naturellement – posséder,
être l'objet d'un amour exclusif... – et que vous
vous êtes interdit, intériorisant rapidement les
normes de la civilisation, à quoi s'ajoute bien sûr
tout ce que vous continuez à refouler chaque

jour de votre vie, toute cette agressivité censurée qui resurgit ponctuellement dans un « Je te hais », un « Crève, connard ! » ou votre sentiment de culpabilité. Cette agressivité demande à s'exprimer, le destin de toute pulsion étant d'obtenir satisfaction. De l'autre côté, le poids de votre idéal social, moral, la grosse voix de votre « Surmoi », parfois consciente, souvent inconsciente, qui vous tyrannise de ses « Tu dois » et de ses « Tu ne dois pas ». La thèse de Freud est extrêmement originale : lorsque vous êtes ébloui par la beauté d'un tableau, vos pulsions asociales refoulées trouvent dans cette beauté une satisfaction qui n'est pas simplement tolérée par votre « Surmoi », mais *valorisée*. Comme si vos pulsions agressives ou sexuelles refoulées étaient éveillées par la beauté des formes, charmées, et venaient s'y enrouler pour se satisfaire, autorisées par le cadre social du musée. Voilà la magie du plaisir esthétique : la civilisation offre un cadre où satisfaire ce qu'elle a interdit. J'avais donc tort d'être exaspéré par les commentaires pacifistes et bien-pensants des spectateurs de *Guernica*. Il y a plutôt de quoi s'émerveiller devant cette ruse supérieure de la civilisation : elle sait changer, par l'entremise de ses artistes, notre agressivité en émoi spirituel. Et le fait que nous ne nous en rendions pas compte participe largement de cette magie.

Finalement, nous n'avons qu'une seule vie, et c'est bien cela que nous fait éprouver le plaisir esthétique : nous n'avons qu'une vie, mais elle peut changer de forme ; elle est capable de métamorphoses. *Nous n'avons qu'une seule vie...* Il vaudrait mieux dire : nous n'avons qu'une seule énergie vitale – et cette énergie est la libido. Difficile à concevoir, et pourtant c'est cette énergie qui à la fois vient de notre agressivité et peut faire de nous des êtres spirituels, des esthètes raffinés, à la double condition que cette agressivité ait été refoulée et que nous rencontrions des œuvres assez géniales pour en permettre la sublimation. Nous comprenons mieux maintenant ce sentiment que nous éprouvons à l'égard des créateurs de telles œuvres : c'est de la reconnaissance, une gratitude immense. Sans eux nous ne pourrions changer en grandeur notre petitesse, sans eux nous ne verrions pas le lien entre notre grandeur et notre petitesse :

nous demeurerions scindés. Et nous continue-rions à nous sentir « coupables ». Coupables d'enfermer en soi une agressivité « sans emploi », interdite. Coupables de retourner cette agressi-vité contre nous-mêmes. Coupables parce que coupés de nous-mêmes. D'où cette impression, quand la beauté nous touche, de se retrouver enfin, d'être véritablement sauvés.

Il faudrait faire lire ces quelques lignes au fils de Lucie. Il écoute « Creep » de Radiohead, « New Born » de Muse. Cette pop lyrique lui fait tant de bien : enfin toute la rage qu'il a en lui se trouve autorisée, autorisée au moment même où elle se change en paix. Il le sent : son agressivité n'est pas écartée pour laisser la place à un plaisir spirituel, elle se transforme en cette élévation spirituelle, ce qui n'est pas la même chose. C'est à s'y perdre, de tant se retrouver. Il repasse dix fois de suite, sur Dailymotion, les huit minutes et quarante-cinq secondes de grâce pure où Muse joue « New Born » au cœur du stade de Wembley, devant cent mille personnes en transe. Il faut voir leurs yeux, leurs bras levés, leurs mains collées au front, leur stupéfaction – cette communion. Il faut le voir les regarder,

regarder le chanteur. De la reconnaissance, oui. Aux deux sens du terme.

De la gratitude d'abord : un immense merci. Tout est sauvé, ou du moins tout semble l'être, quand la musique est bonne. Il n'y a qu'à voir le chanteur de Muse possédé sur la scène pour n'en plus douter : ce sont nos blessures qui font notre grandeur ; c'est notre petitesse qui fait notre grandeur. C'est aussi cela, « n'avoir qu'une seule vie ». Tout est sauvé, quand notre petitesse devient le combustible de notre grandeur. Merci, donc. Que dire d'autre à ces artistes qui autorisent, en nous, cette métamorphose ? Que ferions-nous, sans eux, de notre petitesse ? Que ferions-nous, sans eux, de notre violence ? J'entends soudain, écrivant ces lignes, « Wild Horses » des Rolling Stones... Si souvent je suis revenu à ce morceau pour me calmer, si souvent je me suis émerveillé de ses vertus apaisantes. Je me trompais en pensant que « Wild Horses » avait le pouvoir de « m'enlever ma colère ». Je sais aujourd'hui que, si la musique apaise notre colère, ou notre violence, ce n'est pas en la chassant mais plutôt en nous permettant d'en prendre acte, de l'accepter, et plus encore de lui offrir une destination nouvelle.

Mais reconnaissance, aussi, au sens où nous voyons, dans ces génies, des frères humains. Hors norme, évidemment, mais exemplaires, en tant que créateurs, de cette manière de transformer une petite vie en grande œuvre. Ils le font à un autre niveau, mais ils nous donnent envie de le faire au nôtre : transformer la boue en or. N'est-ce pas cela, précisément, que nous inspire une belle chanson lorsqu'elle nous sort de notre tristesse ? Que nous pouvons transformer notre tristesse, au lieu de tenter en vain de la chasser ? C'est peut-être pourquoi, d'ailleurs, les chansons tristes nous apaisent précisément lorsque nous sommes tristes : elles sont comme la preuve que l'on peut faire quelque chose de sa tristesse, de sa souffrance, de ses faiblesses. La beauté nous guérit alors de notre tristesse ou, si elle ne nous en « guérit » pas définitivement, elle nous aide à mieux vivre avec, à mieux la vivre.

Nous observons ici l'extraordinaire portée du concept freudien de sublimation, que la mort l'a empêché de développer vraiment : nous inviter à penser la vie en nous sur le mode chimique du changement de forme, de la métamorphose, et non sur le mode mécanique de la séparation. Il n'y a pas en moi des parts séparées de mon humanité. Il ne faut pas écarter le « mauvais » pour que le « bon » puisse enfin grandir. La culture n'est pas arrachement à la nature. Il faut trouver les conditions pour que le « mauvais » se change en « bon » : la culture est métamorphose, sublimation de la nature. C'est la même vie qui afflue en Lucie dans son désir de voir « crever » ce « connard » et qui, quelques instants plus tard, au cœur de son émotion musicale, se fluidifie en espoir retrouvé et en promesse de paix. C'est la même vie mais sous des formes différentes : une forme brute, naturelle, et puis une autre sublimée, civilisée. Le jour où Michel Berger a composé « La Minute de silence », il a fourni une des conditions de cette métamorphose : nous avons besoin de la beauté pour qu'en nous le « mauvais » se change en « bon ».

C'est en examinant le cas de Léonard de Vinci que Freud a développé ce concept de sublimation, en mettant en parallèle certains souvenirs d'enfance de Léonard de Vinci, relatés dans sa correspondance, avec des motifs récurrents de sa peinture. Le propos de Freud, en 1910, est proprement révolutionnaire : il y a un rapport entre le petit enfant inhibé, amoureux transi de sa mère, marqué par un refoulement excessivement fort de certaines pulsions, et le grand artiste, enfanteur de chefs-d'œuvre. Il y a un rapport entre l'homme resté vierge toute sa vie, homosexuel refoulé, et le savant immense capable de voir ce que personne n'a vu avant lui. Plus encore, ce rapport est de nécessité : « Seul un homme ayant vécu l'enfance de Léonard de Vinci aurait pu peindre la *Joconde* et la *Sainte Anne en tierce* », écrit Freud dans *Un souvenir d'enfance de Léonard de Vinci*. Le génie n'est plus inspiré par les muses, son don ne lui vient plus du ciel. Le génie est l'enfant de son enfance. Il est génie par sa capacité colossale, quasiment surhumaine, monstrueuse, à sublimer ses pulsions refoulées. Il est génie par cette double caractéristique : énorme refoulement, énorme capacité à sublimer. Le premier sans la seconde n'aboutirait qu'à la folie. Le génie échappe toujours de peu à la folie ; il n'est génie que d'être presque fou, et de se sauver par son art, par la sublimation. Léonard de Vinci, lui aussi, n'a « qu'une vie » : sa vie de grand peintre et de savant génial s'origine dans sa vie de petit garçon illégitime, introverti et inhibé. Sa grandeur vient de sa petitesse, ce qui ne veut pas dire qu'elle s'y réduit. Sa passion pour l'investigation intellectuelle, sa soif inextinguible de savoir trouvent leur source dans ses toutes premières années : ardent fut son désir, petit garçon, de savoir comment on fait les enfants, ardent fut son désir de savoir les choses du sexe, violent fut le refoulement, sous le poids des interdits, de ces désirs ardents. Ce désir de savoir refoulé vint constituer l'énergie libidinale réinvestie ensuite dans la passion de l'esprit. Rien d'étonnant que Freud emprunte à la chimie le terme de « sublimation », qui désigne le passage d'un état solide à un état gazeux, comme lorsque la glace devient vapeur : la forme peut changer, mais H_2O reste H_2O.

En lisant chez Freud combien la passion de la découverte scientifique ou le génie créateur s'originent dans du sexuel refoulé, nous comprenons que son analyse n'épuise pas le mystère du génie : nous sommes nombreux à avoir subi de très forts refoulements dans l'enfance sans pour autant devenir Léonard de Vinci. Freud en est conscient : son travail laisse intacte l'énigme du génie, et c'est tant mieux. Il sait qu'on va l'accuser, comme il l'écrit lui-même, de « traîner le sublime dans la poussière ». Loin de le « traîner » dans la poussière, Freud affirme simplement que le génie *vient* de la « poussière », mais qu'il a su changer cette poussière en une matière sublime – celle-là même qui nous éblouit dans le cadre du tableau. Comment a-t-il fait ? Cela, Freud ne le sait pas. Personne ne le sait. Avec du particulier, du pulsionnel, Léonard de Vinci a su créer des œuvres dans lesquelles nous nous reconnaissons ; avec de l'intime, il a su créer de l'universel. Et la question du « comment » demeure bien sûr sans réponse, peut-être même d'autant plus sans réponse que Freud a proposé son éclairage.

C'est tout le sens de l'éclairage freudien, de l'éclairage psychanalytique en particulier et de tout éclairage en général. Un éclairage ne dissipe pas le mystère. En attirant dans sa lumière une partie du réel, il laisse partout autour un mystère plus épais encore. L'analyse rationnelle ne s'oppose pas au mystère : bien souvent, les deux progressent de pair. Plus on comprend, plus le mystère s'épaissit. « Le plus beau sentiment du monde, c'est le sens du mystère », a écrit Albert Einstein, dont toute la vie fut travaillée par le souci de comprendre.

Reste que si nous nous reconnaissons dans les œuvres d'un autre, c'est que nous avons avec lui quelque chose en commun. Nous n'avons pas le génie de Léonard de Vinci mais nous avons les mêmes pulsions refoulées que lui : pulsions agressives, sexuelles, possessives, désir de savoir ce que nous n'avons pas le droit de savoir... Son génie, avance Freud, ne tient pas à la nature de ses pulsions refoulées mais à l'intensité de ce refoulement, à la manière dont il l'a vécu et dont il est capable de sublimer des pulsions censurées, qui autrement le détruiraient. Bref, son génie ne nous empêche pas de nous sentir proches de lui : il pose, de manière paroxystique, le problème de notre humanité à tous. Comment la civilisation nous contraint-elle à censurer une part de notre nature ? Comment la beauté peut-elle nous permettre de sublimer ce que nous avons refoulé ? Léonard de Vinci sublime plus que nous, mais nous sublimons nous aussi nos pulsions refoulées lorsque nous sommes frappés par la beauté d'un chef-d'œuvre comme *La Vierge, l'Enfant Jésus et sainte Anne*. La lenteur d'exécution de Léonard de Vinci, son acharnement au travail sont bien connus. Pour ne prendre qu'un exemple, ce tableau, *La Vierge, l'Enfant Jésus et sainte Anne*, lui aurait demandé huit années de labeur et de retouches successives, pour demeurer finalement inachevé à sa mort. Pendant huit ans, il s'est attaché à la recherche de la forme parfaite, de la bonne lumière. L'examen des dessins prépa-ratoires de Léonard de Vinci montre comment le crayon tâtonne, cherche, en affinant et recti-fiant toujours, jusqu'au moment où il trouve, et s'immobilise. Mais avec quoi était-il aux prises ? Autour de quoi tournait-il sans cesse ? Que cher-chait-il si précisément ? Qu'aspirait-il à mettre en forme ? On comprend la radicalité de l'ana-lyse freudienne, le scandale qu'elle constitua pour tous ceux qui croyaient le génie inspiré par les dieux ou le ciel : ce qui anime le pinceau de

Léonard de Vinci n'est ni le message biblique ni celui du roi de France qui lui a commandé le tableau, mais le souci de mettre en forme le plus exactement possible son intériorité, de trouver des motifs capables d'offrir une satisfaction à ses pulsions sexuelles refoulées. Si nous jugeons l'œuvre belle, ce n'est pas d'abord parce que nous sommes sensibles à ce qui y est représenté – la Vierge assise sur les genoux de sa mère, sainte Anne, et l'Enfant Jésus à ses pieds, qui étreint le cou d'un agneau et semble vouloir se dégager des mains de Marie –, mais parce que nous avons en partie les mêmes pulsions que Léonard de Vinci. Nous serions alors moins sensibles à l'étonnant jeu de regards du tableau – sainte Anne regarde Marie, Marie regarde son fils, l'Enfant Jésus regarde Marie – qu'à ce que ces regards cachent... Si nous avons du plaisir, c'est que nous sublimons nous aussi, grâce à lui, grâce à la beauté de ces formes laborieusement trouvées, et investies de tant de libido, nos pulsions refoulées.

Alors s'impose l'objection freudienne à notre précédente lecture hégélienne : telle œuvre n'est pas belle parce qu'elle symbolise du sens, mais parce qu'elle me procure une jouissance inconsciente. J'ai du plaisir devant elle non parce que je « vis le sens », mais parce que je satisfais spirituellement ma nature refoulée. Le tableau *La Vierge, l'Enfant Jésus et sainte Anne* n'est pas beau parce qu'il me parle de Dieu ou de l'amour, il est beau parce qu'il me parle de moi, parce qu'il me permet d'exprimer enfin une part de moi qui n'attendait que cela. Plus encore : le fait que ce tableau me parle de Dieu, ou de l'amour, constitue une diversion nécessaire pour que je me sente enfin vraiment autorisé à la jouissance inconsciente. Dieu n'est alors qu'un écran rendant possible la satisfaction de mes pulsions sexuelles et agressives refoulées. On comprend mieux pourquoi la beauté nous fascine : elle nous montre quelque chose, mais nous parle d'autre chose. Elle nous montre sainte Anne sereine ou Marie attendrie par son enfant, mais s'adresse à nos pulsions refoulées inconscientes ; elle nous montre une harmonie de formes et de couleurs, mais touche au fond de nous des pulsions asociales et informes. Bref, la beauté nous fascine parce qu'elle fait diversion. Elle nous éblouit par un jeu sur la forme

154

ou même par la symbolisation de valeurs, mais glisse, « comme en contrebande » écrit Freud, l'occasion d'une jouissance inconsciente beaucoup plus profonde.

« Je suis belle, ô mortels ! comme un rêve de pierre », écrit Baudelaire dans un vers fameux. La beauté de *La Vierge, l'Enfant Jésus et sainte Anne* est bien en effet figée « comme un rêve de pierre » : les personnages y sont immortalisés en une posture signifiante au-dessus d'un sol rocheux et sur un arrière-fond de pics montagneux, les visages de sainte Anne et de Marie comme éclairés par une lumière éternelle. Mais derrière le « rêve de pierre », derrière l'immobile beauté vibre le mouvement d'une libido éveillée puis satisfaite. La beauté fait diversion : le plaisir conscient qu'elle nous offre cache, et rend possible, une jouissance inconsciente. Peut-être avons-nous besoin d'elle car nous ne pouvons accéder à l'essentiel que de manière détournée, et sommes incapables de regarder en face notre vérité pulsionnelle. Le leurre de la beauté serait alors nécessaire pour nous confronter à notre vérité. C'est le sens de la célèbre phrase de Nietzsche : « Nous avons l'art pour ne pas mourir de la vérité. »

Mais il y a mieux : face à ce chef-d'œuvre de Léonard de Vinci, je suis devant la preuve concrète que la transformation est possible ; j'observe le résultat même de la métamorphose. Lui a réussi, je le sens même si je ne le sais pas : Léonard de Vinci a changé la boue en or. Alors pourquoi pas moi ? Voilà peut-être ce que me souffle toute émotion esthétique véritable : moi aussi, je peux y arriver. Moi aussi, je viens de la poussière… Voilà, pourtant, que le sublime me tend les bras.

Lorsque, précédemment, nous nous sommes penchés sur l'énigme du plaisir esthétique, nous avons critiqué la notion aristotélicienne de catharsis, entendue comme purgation « mécanique » d'une violence excessive en nous. La lumière freudienne permet d'apporter des arguments supplémentaires à notre critique. Si la notion de catharsis est réductrice, c'est parce qu'elle présuppose cette vision mécanique de notre humanité que Freud critique, comme s'il y avait au fond de nous une violence asociale à faire « déborder » pour aller mieux ensuite. En pensant avec Freud l'humain selon une métaphore chimique, et non mécanique, nous comprenons que l'émotion esthétique n'est pas de l'ordre de la purge, mais plutôt de la purification. Toutefois, il se trouve que le terme grec de *catharsis* peut se traduire par « purge »… mais aussi par « purification » ! Peut-être Aristote a-t-il donc senti, au moment même où il écrivait dans la *Poétique* que la beauté d'une représentation théâtrale nous donne la possibilité de nous purger de notre violence excessive, qu'elle est aussi une occasion de métamorphoser cette violence en quelque chose d'autre : de la purifier donc, et pas simplement de la purger. Dans ce cas, si la catharsis s'entend comme « purification » et pas simplement comme « purge », alors il est possible de réhabiliter cette notion de catharsis, et de définir le plaisir esthétique comme une catharsis nécessaire. Nous n'avons pas besoin de la beauté pour nous « vider la tête », ni pour faire simplement déborder un trop-plein ; la beauté nous offre plus qu'un footing intensif. Nous avons besoin de la beauté pour éprouver autrement la vie en nous, pour être présents à nous-mêmes de manière plus pleine et plus complexe. Élargissant un peu notre propos, nous pourrions aller jusqu'à dire que la beauté nous aide à accueillir le mouvement de la vie en nous – mouvement qui peut s'entendre de différentes façons.

Sans aller jusqu'au mouvement de la sublimation de notre énergie libidinale, nous pourrions évoquer celui, peut-être moins profond, des impressions en nous. Pourquoi sommes-nous éblouis par la beauté d'un ciel changeant, par ses variations rapides de couleur et de luminosité ? Ce changement ne fait-il pas écho à celui de notre vie intérieure, de nos humeurs ou impressions ? Les impressionnistes, à l'image de Monet avec ses séries (cathédrale de Rouen, nymphéas…), déclinèrent des dizaines de versions d'un même motif, de manière à rendre visibles les modifications ultrasensibles de leurs impressions. Ici encore, il est question de métamorphose, d'accueillir, grâce à la beauté, le changement au cœur de notre intériorité. Même si Hegel disqualifie souvent, on l'a vu, les beautés naturelles au profit des beautés artistiques, on retrouve aussi chez lui l'idée que la beauté naturelle a au moins le pouvoir de « susciter dans notre être intime certains états d'âme avec lesquels elle se trouve en accord ». Qu'il s'agisse de nos pulsions refoulées, de nos simples « impressions » ou de nos « états d'âme », nous avons besoin de la beauté, artistique comme naturelle, pour accepter qu'au fond de nous « ça » bouge, change, évolue, se noue et se dénoue – qu'au fond de nous « ça vit ». Bien évidemment, c'est aussi ce que nous disent nos histoires sentimentales, nos peines de cœur, la violence de l'amour qui jaillit, s'épanouit et puis s'use : au fond de nous cela vit, et même souvent dans la souffrance. Mais justement, nous avons parfois du mal à l'accepter, et c'est alors que nous ressentons ce besoin de beauté. Et nous écoutons une belle chanson triste afin qu'elle nous aide à accueillir ce mouvement de la vie en nous. C'est la vie qui se manifeste dans notre émotion esthétique : nous avons envie de vivre et cette envie prend le prétexte de la beauté pour s'exprimer d'une manière inédite, salutaire, spirituelle, complexe et précise – libre.

Avec Freud, nous avons nommé cette vie

« libido ». Mais que les allergiques à la psychanalyse se rassurent : cette vie, nous pouvons
aussi l'appeler « conatus » avec Spinoza, « volonté
de puissance » avec Nietzsche ou même « élan
vital » avec Bergson. Le « conatus » désigne chez
Spinoza cette vie poussant chaque être à « persévérer dans son être ». Pour comprendre cette
phrase magnifique de Spinoza : « Tout être
s'efforce, autant qu'il est en son pouvoir, de persévérer dans son être », il suffit de regarder un
cheval en plein galop et le sens surgira : « Être,
c'est persévérer dans son être. » Regardez la foulée ample et régulière de ce cheval, sentez la joie
qui est la sienne de battre la campagne, obser-
vez-le se ramasser et se détendre : tel est son
« effort » pour « persévérer dans son être ». Être,
pour nous aussi, c'est « persévérer dans notre
être », mais notre existence est un peu plus compliquée que celle du cheval. Le plaisir étrange
que nous donne la beauté peut être une des
manières, pour les animaux humains que nous
sommes, de « persévérer dans notre être », d'être
fidèles à la vie qui est la nôtre. C'est cette vie à
laquelle Nietzsche, justement, donne la parole
dans *Ainsi parlait Zarathoustra* : « Vois-tu, dit la

Vie, je suis ce qui doit toujours se surmonter soi-même. » La vie est alors cette énergie s'auto-alimentant, ce fleuve se nourrissant de son propre mouvement, ce flux changeant sans cesse de forme et d'intensité. Nous avons besoin de nos émotions esthétiques pour que la vie en nous puisse continuer à se métamorphoser, changeant de forme en effet, s'intensifiant à cet instant précis où la beauté nous touche. Sans cette beauté, cette vie risquerait de rester en attente au fond de nous, suspendue à des occasions de jaillir ou de se métamorphoser qui peut-être ne viendront jamais, nous laissant inachevés ou incomplets, malheureux ou coupables.

Disons les choses beaucoup plus simplement : nous avons besoin de la beauté pour éprouver notre différence, certes avec les chevaux, mais surtout avec les robots. Ne vivons-nous pas cette époque où nos hebdomadaires titrent régulièrement « La chimie du coup de foudre » ou « Le gène de la haine », comme si le secret de nos passions tenait en quelque assemblage génétique ou moléculaire, en quelque réalité « matérielle » ? Le progrès des neurosciences n'a-t-il pas tendance à faire aujourd'hui triompher une conception mécaniste de l'humain ? Ne vivons-nous pas cette époque où nous adoptons de plus en plus facilement des comportements automatiques, machinaux, acceptant d'obéir à des serveurs vocaux et de traduire nos questionnements humains en termes de « touche étoile » et de choix numérotés ? Et même lorsque nous avons la chance, appelant un opérateur téléphonique ou un service de renseignements, de tomber sur un véritable être humain, ne découvrons-nous pas souvent que ses réponses sont programmées, inscrites dans des processus prédéfinis auxquels il ne peut déroger, de telle sorte que c'est exactement comme si nous avions une machine au bout du fil ? C'est le règne du processus qui dévore peu à peu nos entreprises, nos administrations, notre quotidien : on devine le gigantesque fantasme, à peine caché sous toutes ces pratiques, d'un homme devenu machine, d'une subjectivité humaine éradiquée. Pourquoi acceptons-nous si facilement toutes ces pratiques déshumanisantes ? Peut-être que, finalement, nous ne sommes pas aussi attachés à notre humanité que nous le prétendons…

Peut-être qu'une part de nous se réjouit d'être débarrassée du fardeau de cette humanité qui souffre, doute, hésite, et ploie sous le poids de son ambiguïté[1], du fardeau de ce qui est notre « vie » même...

Mais lorsque la beauté nous touche, nous sentons à quel point nous aspirons à autre chose qu'à ce « devenir machine ». La beauté surgit par la fenêtre, dans un ciel soudain déchiré de pourpre, elle surgit, inattendue, au travers des enceintes et de l'embouteillage, elle surgit sur la façade d'une église et notre plaisir nous dit que nous ne voulons pas devenir des robots, que nous l'aimons quand même, cette humanité compliquée et souffrante. Que nous voulons encore le porter, ce fardeau de notre subjectivité, même s'il nous pèse si souvent. Et c'est comme si la beauté nous guérissait de notre lassitude, de notre fatigue d'être humains. Comme si la beauté nous redonnait le désir d'être humains, avec tout ce que cela implique d'ambiguïté et de difficulté. Peut-être que demain,

---

1. En référence à deux ouvrages de Jean-Michel Besnier : *Demain les posthumains*, Hachette Littératures, 2009 et *L'Homme simplifié*, Fayard, 2012.

quand nous ne serons plus les cyborgs que nous sommes déjà devenus, truffés de prothèses, de pacemakers ou de reins artificiels, mais de parfaits robots, quand nos émotions seront programmées et gérées chimiquement, quand nos troubles existentiels seront traités par des séances de reconnexion neurale, il ne nous restera que l'émotion esthétique pour nous souvenir que nous avons été humains.

Partant du concept freudien de sublimation, et élargissant ensuite notre propos, nous sommes donc parvenus à cette idée que la beauté nous permet d'exprimer notre vie proprement humaine. Voilà qui permet aussi de rectifier le contresens selon lequel « Freud réduirait tout au sexuel », dresserait un portrait de l'homme en bête pulsionnelle. C'est rater le cœur de l'analyse freudienne : la pulsion humaine se distingue justement de l'instinct animal par cette capacité de sublimation. Nous sommes tous des « pervers », mais c'est une bonne nouvelle : la perversion – qui n'est pas la perversité – désigne le détournement d'une pulsion de son but naturel, et donc encore une fois la sublimation. C'est être très éloigné de la bête que de refouler autant ses pulsions agressives ou sexuelles. C'est être l'opposé de la bête que de savoir leur donner une satisfaction avec de simples formes – de belles formes. C'est aux formes de la peinture que Freud est surtout sensible, ainsi qu'à celles de la sculpture ou de la littérature. Il confesse à plusieurs reprises son insensibilité à la musique, jugeant par exemple l'opéra de Wagner *Les Maîtres chanteurs* au mieux « agréable », *L'Anneau des Nibelungen* du même Wagner le laissant, de son propre aveu, totalement indifférent ! Troublante insensibilité : une manière inconsciente de se protéger du bouleversement profond dont la musique pourrait l'affecter ? Nous avons donc pris ici une certaine liberté avec le propos freudien, en utilisant son concept de sublimation pour approcher l'intensité bouleversante de nos émotions musicales. Mais c'est aussi cela, la philosophie : oser se saisir de sa liberté. Alors allons encore plus loin.

Devant les formes d'une beauté naturelle, d'un paysage qui nous laisse sans voix, ne sommes-nous pas encore en train d'éprouver une satisfaction d'ordre libidinal ? Freud bien sûr ne pourrait corroborer cette hypothèse : pour lui, si les formes d'un tableau nous permettent de sublimer notre libido, c'est parce que l'artiste qui les a peintes les a lui-même investies de sa libido, et que certaines de nos pulsions sont communes. À travers la beauté artistique, c'est donc pour Freud un homme qui parle aux autres hommes : la beauté se déploie alors comme un pont entre nous, un pont fragile et merveilleux comme l'amour, comme la culture, entre des animaux civilisés travaillés par le même malaise, le même besoin de sublimer. Impossible, en conséquence, de ressentir face aux formes d'un paysage de montagne ce que nous ressentons devant la *Joconde*. Mais alors pourquoi les formes naturelles ont-elles ce pouvoir de nous toucher si profondément ?

Ne pourrait-on pas imaginer, assumant clairement la distance avec Freud, qu'elles sont elles aussi capables d'offrir une satisfaction à notre libido ? Qu'elles éveillent en l'adulte que nous sommes devenu la présence du « petit d'homme » que nous fûmes : le monde alors, avant que nous n'ayons la parole, n'était fait que

de formes... Nous étions allongé dans notre ber-
ceau, ou porté dans le creux de bras immenses,
et le monde partout autour se déployait en
formes changeantes et mystérieuses. Or, cette
petite enfance est l'époque des plus forts refoulements ; l'heure de devenir humain. En ces premiers mois plus que jamais, nous refoulons des
pulsions interdites, nous intériorisons sans le
savoir les interdits de la civilisation ; nous
apprenons, à la fois très facilement et très dou-
loureusement, le métier d'homme. Ne pourrait-on pas imaginer que la libido qui se
constitue ici en ces strates les plus profondes se
fixe alors sur les formes de notre environnement, du monde qui nous entoure ? Formes du
sein ou de la bouche d'une mère mais aussi du
plafond, des moulures, des jouets suspendus, du
jaillissement de lumière par la porte entrou-
verte... Ne pourrait-on pas concevoir que toute
notre vie ce sont ces formes que nous cherchons
à retrouver, que dans notre fascination pour la
beauté d'un paysage de vallées enneigées, que
dans notre obsession de certaines beautés phy-
siques ou de certaines parties d'un corps aimé,
nous cherchons encore et toujours la trace de ces

premières formes, de notre premier monde ? L'investissement libidinal offert par la beauté naturelle serait alors plus direct, cette beauté nous rappelant simplement les premières formes que nous avons investies de notre libido, sans qu'il y ait à proprement parler de sublimation.

L'effet pervers de tous ces développements inspirés de Freud serait toutefois de voir dans la beauté, et plus précisément dans la sublimation, la solution à tous nos maux. Idéalement, c'est vrai, la sublimation de pulsions agressives refoulées devrait permettre d'éviter un retour primaire de ce refoulé, nous guérir de notre malaise d'animal civilisé... C'est à cela que Freud pense lorsqu'il en vient à envisager la sublimation comme une solution au « malaise dans la civilisation », d'autant qu'il élabore ses réflexions dans les années trente, observant les poussées de la haine, du racisme ou de l'antisémitisme. Mais Freud n'est pas homme à tomber dans l'angélisme : il sait que les effets positifs de cette sublimation, si réels soient-ils, ne seront jamais que ponctuels et passagers – le « malaise dans la civilisation », lui, est structurel. Ce serait trahir profondément son esprit que de penser la beauté comme la panacée, comme le remède à toutes nos tensions d'animal civilisé.

Le simple fait qu'il existe des nazis esthètes, amateurs de Mozart et de Lully, suffit à montrer les limites de la sublimation. Sublimer son agressivité refoulée, le soir, au concert, dans le moment de l'émotion esthétique partagée, n'empêche pas de l'exprimer directement le lendemain matin et d'ordonner la mise à mort d'enfants innocents. Peut-être même l'émotion esthétique est-elle dangereuse, capable d'éveiller une forme d'agressivité refoulée qui va ensuite pouvoir être sublimée... ou exprimée directement. Il faut donc nuancer fortement la notion de « purification intérieure », en précisant une idée qui pourra surprendre après nos développements précédents : au fond, la beauté ne résout rien. La beauté ne règle rien. L'instant du plaisir esthétique est peut-être un instant de sublimation, mais ce n'est précisément qu'un instant. Le « malaise dans la civilisation » subsiste, évidemment : nous restons les seuls animaux à qui il est demandé de refouler autant de leurs élans naturels. C'est probablement d'ailleurs pour cette raison que le plaisir esthétique est si fort : cet instant, c'est une pause dans le malaise. Comme si le problème de notre condition humaine était soudain mis en suspens. Nous avons déjà dit que cet instant ressemblait à l'éternité, sans pour autant durer. C'est qu'en effet l'éternité n'est pas l'immortalité. Être immortel, ce serait vivre toujours, demeurer dans le temps sans que ce temps connaisse de fin ; durer indéfiniment. L'éternité, elle, vise une sortie du temps. Voilà pourquoi le plaisir esthétique semble parfois nous faire toucher quelque chose d'éternel : nous avons l'impression, en lui, de sortir du temps. L'éternité en vient alors à qualifier l'intensité d'un instant : un instant si fort qu'il n'est plus dans le temps. C'est dans le temps de notre vie que nous avons refoulé nos pulsions asociales, que nous sommes devenus, peu à peu, humains, « civilisés », que nous nous sommes constitués dans le combat intérieur. Si Freud a raison, si nous sommes capables, lorsque la beauté nous subjugue, de sublimer des pulsions refoulées qui réclament une satisfaction au fond de notre inconscient depuis des années, des décennies, alors on comprend pourquoi le plaisir esthétique nous donne l'impression d'une sortie du temps, d'une résolution de notre conflit intérieur. Ce n'est qu'une impression, mais elle fait tant de bien...

Ce n'était pas prévu : Marc pénètre dans l'église Saint-Eustache. Marc est le prénom de notre séducteur compulsif. Juste avant, il a suivi une fille, l'a abordée avec un bon mot, auquel elle n'a pas été sensible, repartant très vite et le laissant planté, un peu ridicule, sur le trottoir. Quelques minutes après, il en a suivi une autre. Pas de bon mot cette fois, juste quelques phrases simples : « Excusez-moi, vous voulez prendre un café ? – Non... je n'ai pas le temps. » Mais finalement ils ont discuté un peu, ont échangé quelques sourires. Elle lui a demandé, avec une sorte de tendresse dans la voix, ou de curiosité, s'il abordait souvent des inconnues dans la rue, et lorsqu'elle est repartie il a senti qu'elle aurait presque pu lui donner son numéro. Il s'est à peine rendu compte qu'il entrait dans l'église ; il n'avait d'abord pas entendu la musique. Le son de l'orgue est pourtant puissant, les chœurs aériens, et une jeune fille joue du violon. Il s'avance doucement puis s'assoit sur un banc de bois. Il y a quelque chose de dramatique dans le son de l'orgue, une tonalité beaucoup plus légère dans les chœurs, et le violon dit encore autre chose. Il ferme les yeux.

Lui qui, quelques instants auparavant, arpentait le bitume en proie à la tyrannie de la pulsion, se trouve soudain élevé, livré à la force d'un émoi spirituel. Lui qui passe ses journées à chercher une satisfaction qui toujours se dérobe, se trouve soudain empli d'une satisfaction qu'il ne recherchait même pas. Voilà aussi ce que la beauté nous dit : c'est quand on ne cherche pas qu'on trouve.

Cinquante ans avant que Freud ne développe sa théorie de la sublimation, Nietzsche avait déjà évoqué le plaisir esthétique comme une « spiritualisation des instincts ». Marc reste assis les yeux fermés, laissant la musique entrer en lui, produire son effet. Il ne connaît pas cette phrase de Nietzsche : « Il faut avoir du chaos en soi pour enfanter une étoile qui danse. » Lorsque la musique se tait, il demeure longtemps les yeux clos : il veut garder encore un peu l'étoile qui danse en lui, juste encore un peu. Puis il se retrouve dans la rue. Dans l'agitation parisienne. Sur le trottoir. Derrière une jeune femme pressée. Pressée, voire contrariée, mais surtout très sexy. Il se met quasiment à courir pour la rattraper et tenter une phrase d'approche. Voilà : la beauté ne sauve de rien ; la beauté ne résout rien. Dostoïevski dans *L'Idiot* fait dire au prince Michtine que « la beauté sauvera le monde ». Rectifions : la beauté nous fait simplement entrevoir la possibilité du salut ; la beauté nous fait croire un instant au salut. Quelle qu'ait été l'intensité de l'émotion musicale de Marc dans l'église Saint-Eustache, elle n'aura constitué qu'une parenthèse. Mais là, encore une fois, réside peut-être sa véritable force. C'est précisément de cela dont nous avons besoin dans nos vies agencées, organisées, répétitives : de parenthèses.

Revenons d'ailleurs un peu sur le contenu de cette parenthèse, sur la nature du plaisir esthétique de Marc dans l'église Saint-Eustache. Nous venons de l'interpréter en termes de sublimation. Mais il y a probablement autre chose à en dire. Marc entendait en même temps l'orgue, qui paraissait annoncer l'imminence d'un danger, les chœurs qui maintenaient une forme de joie et de vitalité, et le violon nerveux, insistant, si émouvant. C'étaient comme trois voix qui lui parlaient en même temps, tout en se parlant entre elles. C'est peut-être parce que la musique est polyphonique qu'elle nous émeut de manière si complexe, pour cette raison aussi que Marc se sent enfin, pour une fois, tout entier convoqué, tout entier présent. Peut-être que l'orgue parlait à une part de lui (disons sa part tragique, lyrique), les chœurs à une autre (sa part joyeuse, solaire, dynamique...), le violon à une autre encore ? La musique a probablement ce pouvoir de nous émouvoir plus que les autres arts parce qu'elle est capable, dans sa polyphonie même, d'éveiller simultanément les différentes dimensions de notre être – tragique et joyeuse par exemple, ou sensuelle et intellectuelle, combattante et passive, consciente et inconsciente, etc. Et si la musique, pour cette raison, parlait le langage même de notre intériorité ? Elle serait à ce titre dotée d'un pouvoir supérieur aux autres arts. Difficile, devant un tableau ou une sculpture, d'y repérer autant de plans différents, ayant ce pouvoir de parler si intimement aux multiples facettes de notre être...[1] Cette polyphonie se retrouve dans un concerto de Mozart, dans un morceau des Rolling Stones ou dans n'importe quelle chanson entonnée par une chorale[2]. En aucune autre circonstance de notre existence nous n'avons l'occasion de vivre en même temps toutes les dimensions de notre être.

Nous avons déjà proposé, nous appuyant sur Kant ou sur Freud, l'idée que le plaisir esthétique permet une réconciliation de nos différentes dimensions intérieures. L'idée, ici, est un peu différente : la polyphonie de la musique ne crée pas nécessairement de « réconciliation » entre les dimensions de notre intériorité, mais réussit toutefois à les toucher *toutes en même temps*. Sans être pour autant réconciliés avec nous-mêmes,

---

1. Peut-être qu'il manquera toujours à la peinture – qui peut elle aussi, bien sûr, être polysémique, cette magie du rythme propre à la musique. Peut-être que seul le rythme a ce pouvoir de faire danser ensemble les contraires, de les unir en un même mouvement. Alors s'éclairerait l'affirmation de Nietzsche dans *Ainsi parlait Zarathoustra* : « Je ne pourrais croire qu'en un Dieu qui danse. »

2. Et chaque fois c'est parce qu'elles s'inscrivent dans un même rythme que ces multiples voix peuvent faire entendre, de belle manière, leur différence.

nous sommes éveillés tout entiers : dans notre complexité, notre équivocité, voire nos contradictions. Prenons l'exemple du fils de Lucie : il écoute du rock « classique », des morceaux des Rolling Stones, d'Oasis ou des Strokes. On trouve souvent dans ce genre de morceaux une batterie, une basse, une voix, et deux guitares. On pourrait imaginer que la batterie éveille en lui l'homme désireux d'affronter l'existence, plein de courage voire de rage, mais que la basse – cette ligne de basse répétitive, souple et entraînante – parle à une autre dimension de sa personne : celle qui, justement, est capable de relativiser les raisons de cette rage, de regarder les choses avec plus de hauteur, de comprendre que la vie continue de toute façon. En lui la batterie parlerait au combattant, et la basse au sage capable de distance. On pourrait continuer : la voix du chanteur éveillerait un autre homme encore, l'homme écorché prêt à exposer son intimité, l'homme blessé prêt à la confidence. Et le jeu des deux guitares, enfin, parlerait davantage au poseur, au provocateur, au joueur, à cette part de lui-même qui voudrait défier la vie avec une élégance rock and roll.

Bref il y a dans le fils de Lucie un combattant et un sage, un écorché et un poseur et voici que le temps d'un morceau des Strokes – en trois minutes et quarante secondes –, ces différentes parts en lui se trouvent toutes autorisées, éveillées en même temps, sans être pour autant réconciliées. Quelle autre expérience est capable de produire sur nous un tel effet ? de s'adresser à notre équivocité sans la simplifier, de s'adresser à notre complexité sans la réduire ? L'expérience amoureuse, bien sûr... mais pas en trois minutes quarante ! C'est l'extraordinaire pouvoir de la musique : il lui suffit de quelques secondes et elle nous autorise à être ce que nous sommes – multiples, complexes, contradictoires même, pour peu que nous le soyons en rythme. Nous avons besoin de la polyphonie de la musique pour apprendre à entendre celle qui est au fond de nous.

Souvenons-nous de Marc, sur la plage avec sa femme, et de son acte manqué, cette gifle qu'il lui donne alors qu'il désire l'embrasser. Il y a en lui un amoureux et un rancunier, deux voix en même temps, et bien d'autres encore probablement. Difficile, on le voit bien avec cette scène sur la plage, de les exprimer en même temps : d'où nos vies heurtées, nos pas mal assurés, nos affects douloureux, nos actes manqués... D'où l'étrange et profonde satisfaction de Marc dans l'église Saint-Eustache : c'est grâce à la musique que l'équivocité en lui soudain ne pèse plus – peut-être même qu'il l'aime enfin, peut-être même qu'il est en train d'apprendre à l'accueillir.

D'où, aussi, l'émotion de Lucie tombant dans sa voiture sur « La Minute de silence », sur cette version chantée en duo par Michel Berger et son ami Daniel Balavoine. Michel Berger chante presque toute la chanson seul, Daniel Balavoine l'accompagnant, de sa voix si haut perchée, pour certains couplets uniquement. Mais c'est comme si, chaque fois, l'arrivée de cette deuxième voix ouvrait une porte de plus à la perception de Lucie, et redoublait son plaisir. Il lui arrive quelque chose d'analogue lorsqu'elle écoute religieusement le concerto pour quatre pianos de Bach : chacun des pianos parle d'une voix et, même s'ils dialoguent entre eux, c'est comme si chacun d'eux savait trouver la voix qu'il faut pour éveiller une dimension différente de sa personne, une aspiration différente de son être.

Dire que la beauté de la musique offre un droit de cité à notre polyphonie intérieure permet finalement de prendre un peu de distance avec l'idée freudienne de sublimation. Freud, lui aussi, peint l'homme en proie à plusieurs voix intérieures se disputant la suprématie : celle du « Moi » conscient, évidemment, et surtout celles de notre « Ça » (notre vie pulsionnelle refoulée) et de notre « Surmoi » (cette voix qui nous ordonne de nous conformer à un idéal). Mais en définissant la sublimation comme satisfaction indirecte, et valorisée par le « Surmoi », des pulsions du « Ça », il définit le plaisir esthétique par cette réconciliation interne, quasi miraculeuse, du « Ça » et du « Surmoi ». La polyphonie cesserait donc au moment de l'émotion esthétique puisque le « Ça » et le « Surmoi » se retrouveraient finalement, dans leur accord inespéré, à « parler d'une seule voix ». Il y a peut-être une autre façon de voir les choses. Ne peut-on pas penser que le plaisir esthétique permette aux voix de notre « Ça » et de notre « Surmoi » de

179

s'exprimer en même temps, ce qui déjà n'est pas rien, mais tout en restant contradictoires, sans être pour autant réconciliées ? Nous nous sentirions enfin autorisés à être multiples, éclatés. Mais que cette contradiction soit acceptée, accueillie dans le plaisir esthétique, ne signifierait pas qu'elle soit résolue ni dépassée. Elle serait là, elle demeurerait ; mais dans un plaisir bizarre et plus dans la douleur.

Dans ce cas, le plaisir esthétique produirait moins une métamorphose de ma vie intérieure qu'une reconnaissance simultanée des différentes dimensions de cette vie. Être ébloui par la beauté du *Guernica* de Picasso ne signifierait alors plus, comme dans notre lecture freudienne, que nous transformons l'agresseur refoulé en esthète moral, pacifiste et spirituel, mais plutôt que nous nous sentons soudain autorisé à être à la fois agressif *et* pacifiste, pulsionnel *et* spirituel. L'émotion de Marc écoutant la musique s'élever dans l'église Saint-Eustache ne signifierait plus qu'il a métamorphosé le rancunier en amoureux, mais simplement qu'il s'autorise à être rancunier *et* amoureux. La beauté, comme on l'a dit, ne « résout » donc rien. Elle est néanmoins dotée d'un pouvoir immense : nous mettre devant ce qui ne peut être résolu, et nous le faire aimer. Et c'est alors qu'elle nous sauve de notre incapacité à accepter ce qui ne peut être résolu.

« Le beau est toujours bizarre » : le moment est venu d'entendre autrement cette étrangeté. Étrange, en effet, que grâce à la beauté notre polyphonie intérieure ait enfin voix au chapitre... Étrange, vraiment, que notre équivocité ait enfin droit de cité, tant il nous est demandé de la taire, de la réduire, parfois même de la nier. La vie sociale exige cette simplification de notre personnalité ; nous nous présentons le plus souvent aux autres à travers notre fonction professionnelle : « Et toi, qu'est-ce que tu fais ? » Il nous est sans cesse demandé des choix clairs, des positions tranchées. Même notre vie amoureuse requiert parfois un tel engagement, difficilement compatible avec le secret du cœur. Mais la vie n'est pas claire et nous sommes en partie obscurs à nous-mêmes : voilà ce que nous rappelle le trouble dans lequel nous plonge une symphonie de Mahler ou un morceau de Radiohead ; voilà probablement ce que rappelle la

beauté, quelle qu'elle soit, à celui qu'elle émeut.
Paradoxe infini de la beauté : elle dit clairement
combien nous sommes obscurs à nous-mêmes.
Parfois même, elle s'impose avec la clarté de
l'évidence *d'autant plus* qu'elle nous renvoie à
une obscurité fondamentale, au fait que *nous ne
savons pas*.

Imaginons à nouveau la baie en Corse : le
scintillement infini, magique, et le ciel sans
limites. Lucie et son mari sont assis sur la plage,
les pieds dans le sable. Ils restent silencieux ; ils
se sentent bien. C'est un endroit où ils aiment
se retrouver : ici plus que partout ailleurs, ils ont
vraiment l'impression d'être « ensemble ». Ce
qui alors brille devant eux est d'une beauté parfaitement claire, indiscutable, mais cette beauté
leur souffle en même temps qu'ils ne savent pas
grand-chose : ils ne savent pas à quoi sert cette
beauté, ni d'où elle vient, ils ne savent pas si
Dieu existe, ils ne savent pas pourquoi c est
beau. Beauté bizarre : tellement claire, tellement obscure... La peinture religieuse fonctionne très souvent sur ce registre. Parfois aussi
quelques notes très claires, une mélodie très simple – « Perfect Day » de Lou Reed, « Hey Jude »

des Beatles… – nous font soudain entrevoir notre abîme, et produisent en nous un ébranlement profond. Même très « claire », même très « simple », la beauté nous ouvre à notre obscurité, à notre complexité. Voilà pourquoi elle est si salutaire aujourd'hui que triomphent, en une des magazines ou dans la parole des coachs de tous bords, les injonctions à « être soi » ou à revendiquer son « identité ». Mais qu'est-ce donc que le « moi » si je suis plusieurs en même temps ? Que reste-t-il de ce « moi » quand je m'ouvre enfin, grâce à la beauté, à ma polyphonie secrète, quand j'accepte enfin de la laisser s'exprimer ? Qu'est-ce qui, dans ma vie, reste « identique à soi » avec le temps : où donc pourrait bien se nicher ce noyau dur de mon « identité » ? C'est une autre vertu de la beauté : nous ouvrir les yeux sur ces illusions du « soi » ou de l'« identité personnelle » ; nous sauver de la crispation identitaire. Il suffit que j'entre dans l'émotion esthétique pour que mon « moi » éclate de partout ; il suffit que j'entre dans la musique pour le découvrir multiple, ou que je contemple une baie en Corse pour que je m'en désintéresse.

Nous retrouvons ainsi cette belle idée : l'émotion esthétique me fait en même temps rentrer en moi et sortir de moi-même. Mais nous précisons désormais le propos. Rentrer en soi, c'est s'éprouver multiple. Sortir de soi, dans le désir de partager cette beauté, c'est sortir de son « identité » : si c'était mon émotion à moi et à moi seul, alors il n'y aurait rien à partager. Devant la beauté, devant cette beauté que je rêve secrètement de partager, je sens bien que l'identité n'est rien, que l'essentiel est ailleurs, dans cette lumière qui me semble pouvoir nous éblouir tous. Je sens bien qu'il y a un essentiel qui, en dernier ressort, m'échappe.

Aidés de Kant, de Hegel puis de Freud, nous avons essayé de saisir quelque chose du mystère du beau, mais tant de questions demeurent sans réponses... Pourquoi certaines formes nous touchent-elles plutôt que d'autres ? Pourquoi certaines mélodies nous ébranlent-elles profondément quand d'autres, si proches des premières, nous laissent de marbre ? À quoi cela tient-il ? Pourquoi sommes-nous si nombreux à ne pouvoir détacher les yeux des visages de

James Dean ou de Marlon Brando, de Louise Brooks ou de Kate Moss ? Qu'est-ce qui nous retient ainsi dans un *dripping* de Pollock, dans *La Nuit étoilée* de Van Gogh ou dans cette gueule de loup gravée dans la pierre d'un bas-relief ? En évoquant avec Kant la liberté qui est la nôtre face à la beauté, en comprenant avec Hegel ce pouvoir de la beauté de porter une idée de la vie, en mesurant avec Freud l'intensité de notre intérêt libidinal pour la beauté, nous avons fait une partie du chemin. Mais nous ne sommes, heureusement, pas arrivés au bout. Et si c'était cela le plus intéressant ?

L'existence même de la beauté nous rappelle précisément qu'il y a de l'inexplicable. D'habitude, nous ne supportons pas l'inexplicable. Il est insupportable de ne pas comprendre le départ de l'être aimé, insupportable d'aller mal sans savoir pourquoi... Dans l'expérience esthétique, nous apprenons au contraire à accepter l'inexplicable, à l'aimer, à l'accueillir. Et si c'était de cela, surtout, dont nous avions besoin ?

IV

ACCUEILLIR LE MYSTÈRE

J'ai écrit l'essentiel de ces pages dans un petit hôtel en Normandie, à Varengeville, accroché en haut d'une falaise. Il pleuvait le plus souvent mais, régulièrement, le soleil surgissait et lavait le ciel d'un coup : magie des ciels de Normandie, lorsque soudain le bleu transperce le gris, lorsque le soleil, impérial, inattendu, se décide on ne sait pourquoi à noyer le crachin. J'essayais d'aller nager une fois par jour, si possible au moment où le soleil daignait faire son apparition. Ce jour-là, il pleuvait assez fort et le ciel était sombre. Difficile d'y repérer une promesse d'éclaircie. Comme la patronne me voyait rôder sur la terrasse, observant en contrebas la mer agitée, piquée de pluie, elle me dit sans hésiter :

« Allez-y ! », avant d'ajouter cette phrase amusante : « Ici, il fait beau une fois par jour ! » Je suis donc remonté dans ma chambre pour enfiler mon maillot, passer mes lunettes de natation autour de mon cou, et j'ai suivi son conseil. Pour accéder à la plage, il fallait emprunter un chemin étroit descendant entre deux falaises. La pluie a redoublé d'intensité. Je suis arrivé en bas trempé ; il était de toute façon trop tard pour renoncer. J'ai ôté ma chemise et l'ai laissée sur un des plus hauts rochers. La marée était basse, il me fallait donc marcher longtemps sous la pluie, d'abord sur le sable humide, puis dans quelques centimètres d'eau glacée, avant de pouvoir espérer nager. J'avais froid, le vent forcissait, je me demandais si j'allais être capable de me jeter à l'eau mais j'étais heureux d'être là, seul, hors saison, entouré de ces hautes falaises de craie. Le ciel s'assombrissait de minute en minute, noircissait même par endroits, la pluie sur mes épaules devenait presque douloureuse. Je pensais à mon travail, à Kant, à Hegel et à Freud, à cette activité particulière qu'est l'écriture d'un livre, à ce bonheur qu'il y a à alterner, comme sorti du monde, écri-

190

ture et baignade. Finalement j'ai calé les lunettes sur mon nez et plongé pour échapper à la pluie et au vent glacé. C'était dans la mer que se trouvait la chaleur, c'était elle qui me protégerait. J'ai nagé longtemps la brasse coulée sans plus me soucier ni de la pluie qui se déchaînait ni de l'introuvable soleil, sans plus penser à rien, tout au rythme de ma nage, tout à l'écoute de mon souffle. J'étais bien, je n'avais plus froid, je nageais et nageais encore, rentrais la tête et la sortais, inspirais et expirais – ce rythme simple faisait ma joie, je n'attendais plus rien. J'ai fait demi-tour au loin. Au bout d'un certain temps, j'ai senti de nouveau le sable sous mes pieds. Je devais nager les yeux fermés, malgré les lunettes, depuis longtemps. Je me suis redressé d'un coup en enlevant mes lunettes et une pluie de grêlons s'est abattue sur moi, dense, me fouettant les épaules et la tête, mais étonnamment lumineuse, traversée d'une lumière venue d'on ne sait où. C'est alors que j'ai vu la falaise en face, soudain éclatante de blancheur, frappée d'un soleil très précis tandis que tout, partout autour, demeurait dans l'obscurité. C'était comme une naissance ou un miracle : cette falaise était l'élue du soleil au milieu de la nuit. Je ne sais pourquoi, j'ai levé les bras au ciel et la fin de mon livre m'est apparue, l'idée qui me manquait mais vers laquelle toutes les autres tendaient en fait, l'idée qui était là mais à laquelle mon esprit résistait encore : nous avons besoin de la beauté pour accueillir le mystère dans le creux de nos mains.

Le mystère, souvent, nous effraie. Nous avons peur de ce que nous ne comprenons pas. La beauté, elle, nous propose une expérience heureuse du mystère. Peut-être est-ce finalement sa plus grande vertu : nous apprendre à aimer ce que nous ne comprenons pas.

Il y a tant de choses, en effet, que nous ne supportons pas de ne pas comprendre : les jugements négatifs que les autres portent sur nous, la raison de nos échecs, l'indifférence d'un être qui nous a passionnément aimés, la répétition des mêmes erreurs, voire les dysfonctionnements de la technologie que nous utilisons quotidiennement... Probablement est-il dans notre nature de chercher le pourquoi des choses, et dans l'esprit de notre temps de vouloir *tout* comprendre, pour ne pas dire tout expliquer. C'est l'idéologie cognitiviste qui l'emporte aujourd'hui : assise sur les développements des neurosciences, elle réduit souvent les secrets du psychisme humain à des processus physico-chimiques. Parmi les thérapeutes, les plus écoutés sont désormais les psychologues comportementalistes, qui ambitionnent de régler nos souffrances en les classant dans une dizaine de « grands types psychologiques ». Ce triomphe s'inscrit dans le fil logique d'une histoire de l'Occident marquée par des siècles de progrès de la raison, de la science et de la technique. Mais il porte en lui l'idée, très dangereuse, que tout serait explicable, voire que tout, un jour, *sera* expliqué. Il faut se méfier des effets pervers de ce progrès : si le désir de comprendre élève l'homme, l'obsession de tout expliquer risque de le rabaisser. Pire, de lui interdire le bonheur. Car tout n'est pas explicable. Quelque chose, dans l'existence du monde comme dans celle des hommes, dans la profondeur de nos états d'âme, résistera toujours à l'explication. C'est d'ailleurs le sens d'une psychanalyse : nous aider à entendre, précisément, que tout n'est pas explicable.

Il faut parfois des années pour l'accepter, pour réussir à l'entendre. La beauté, elle, est capable de nous le souffler en une seule seconde, en un seul instant d'émotion esthétique : il y a de l'inexplicable, et nous pouvons l'aimer. Elle est capable de nous sauver de notre passion explicative, de notre obsession de la maîtrise.

Cette falaise comme choisie par le soleil ne m'a pas dit autre chose : j'étais en train de réfléchir – à mon livre, à la beauté, à ma vie personnelle... – quand soudain apparut, dans la surnaturelle blancheur d'un bloc de craie tiré de la pénombre, cette évidence que la beauté nous élève parce qu'elle ne s'explique pas, que nous pouvons être grandis par la relation à ce que nous ne comprenons pas. Qu'y avait-il à comprendre dans une falaise illuminée plus que ses voisines ? Rien. Et pourtant elle m'a donné la force, l'espoir, a redonné de l'élan à mon imagination, comme les quelques notes de piano jouées par Michel Berger redonnèrent à Lucie, avant même qu'il ne commence à chanter, confiance en son avenir. Pourquoi ?

« La rose est sans pourquoi », répond, au XVIIe siècle, le poète mystique Angelus Silesius.

Qu'y a-t-il à comprendre à la beauté d'une rose ? Qu'y a-t-il à comprendre au sourire de la *Joconde* ? Rien. Ou plutôt : tout ce que nous pourrons en comprendre n'épuisera jamais le mystère de la beauté. On dira de la rose qu'elle se tend vers le ciel avec la force d'un destin, que la manière dont le bouton se déploie en pétales symbolise la puissance implacable de l'énergie vitale, on dira d'elle encore que la forme de ses pétales l'élève au-dessus des autres fleurs – cette forme singulière, tout à la fois repliée sur elle-même et ouverte sur l'extérieur, en invitation pudique et délicate. On dira ce qu'on voudra. Et après ? Restera l'énigme de la beauté. On dira du sourire de la *Joconde* qu'il est celui d'une femme enceinte, ou celui d'un jeune homme dont Léonard de Vinci était secrètement épris, ou un mélange des deux. Et après ? Restera l'énigme, restera la beauté. La beauté de la rose n'est peut-être pas sans pourquoi : elle est assuré-ment *au-delà* du pourquoi. Il semble que, dans l'expérience esthétique, nous ayons du plaisir à nous confronter à ce qui d'habitude nous repousse ou nous effraie : l'inconnu, l'inexplicable, mais aussi notre équivocité, notre obscurité. Nous y confronter le plus possible à travers nos émotions esthétiques, c'est probablement apprendre à en être moins effrayés, trouver un peu de la force nécessaire pour l'affronter « en vrai ».

Affirmer que la beauté nous apprend à aimer ce que nous ne comprenons pas, à « accueillir le mystère », appelle une précision : il ne s'agit pas tant d'aimer ne pas comprendre, mais plutôt d'aimer comprendre que la question du sens ne se pose pas, ou plus. C'est évident devant la beauté d'une rose, d'un paysage, parfois d'une chanson, d'un tableau ou d'une sculpture : la question du sens n'est pas la bonne question. La beauté s'offre à nous comme une pure présence, et c'est pourquoi elle est une chance pour nous : celle d'éprouver, au moins un instant, notre existence aussi comme une pure présence. De ressentir alors la joie qu'il y a à simplement exister. Devant la beauté, plus aucune question n'est bonne : il ne s'agit en effet plus d'interroger le réel mais simplement, pour une fois, d'en profiter.

Reste alors à comprendre la véritable utilité des éclairages kantien, hégélien ou freudien :

n'ont-ils pas « posé des questions » à la beauté ? Dire, comme nous l'avons fait, que la beauté nous place face à ce qui ne peut être résolu, et nous le fait aimer, oblige en effet à préciser la démarche globale de ce livre. Kant, Hegel, Freud n'ont-ils pas voulu *résoudre* l'énigme de la beauté ? En nous appuyant sur leurs travaux, ne nous sommes-nous pas condamnés à tenter d'expliquer l'inexplicable ? N'avons-nous pas pris le risque de rater la beauté à force de vouloir la penser ?

Je ne le crois pas. Je crois même qu'il faut s'efforcer de penser aussi loin que nous le pouvons : c'est riches de cet effort que nous serons capables de regarder le mystère en face. L'essentiel de la beauté est probablement ailleurs que dans ce que nous pouvons expliquer, ailleurs que dans ce que la pensée peut résoudre : dans ce qui reste, ce qui reste non résolu. Mais il faut bien avoir essayé de résoudre ce que la pensée peut résoudre pour approcher un peu « ce qui reste ». Finalement, commencer par poser la question du sens de la beauté est peut-être la meilleure façon d'en apprécier le mystère. Et si, par exemple, le détour par le sens du beau que propose Hegel avait justement pour fonction de nous faire éprouver plus intensément ce qui reste : la dimension de la beauté que le sens n'épuise pas ? Reprenons l'exemple du Sphinx. Assurément, sa beauté véhicule une idée de l'humanité : elle nous fait éprouver le lent effort de la Culture pour s'arracher à la Nature. Difficile de ne pas suivre Hegel sur ce point. Mais peut-être que la beauté du Sphinx est plus vaste que son sens, que l'énigme de sa beauté réside en effet dans « ce qui reste ». Elle réside aussi dans le secret du « comment » : que les formes symbolisent du sens, soit, mais comment font-elles ? Là demeure la magie de l'art, de la beauté. Que la beauté d'un scintillement infini sur l'horizon nous parle de Dieu, ou de son absence, soit. Mais comment fait-elle ? Et ne nous parle-t-elle pas aussi d'autre chose que nous ne savons même pas nommer ? Ne nous parle-t-elle pas *surtout* d'autre chose ? Qu'une chanson comme « La Minute de silence » de Michel Berger nous parle de l'absence, cela est indiscutable. Mais écouter les belles paroles de Michel Berger, songer, ému, porté par ces paroles, à ce que représente la perte d'un être cher, n'empêche pas d'être, l'instant d'après, touché par la beauté de cette chanson sans plus penser à la douleur de l'absence, et d'en profiter sans plus penser à rien. Et nous pouvons aussi l'écouter sans faire attention aux paroles, entendre alors sa beauté indépendamment de son sens – *au-delà* de son sens…

Dire que la beauté pose la question du sens n'empêche donc pas de l'apprécier aussi en tant que pure présence. Il est normal que les animaux humains que nous sommes posions, même devant la beauté, la question du sens. Peut-être même avons-nous besoin d'en passer par là pour oser nous tenir finalement en face de cet insensé que la beauté met devant nos yeux, et qu'il ne nous reste plus qu'à contempler. Comme si de s'être posé la question du sens du beau éveillait nos facultés, et favorisait finalement un plaisir contemplatif libéré de tout questionnement. La magie du scintillement de cette baie en Corse a allumé dans les neurones de Lucie la question de Dieu mais voilà, maintenant, qu'elle n'y songe plus du tout : elle profite simplement de la lumière, éblouie ; elle contemple l'infini. Peut-être a-t-elle commencé par se poser, face à cette beauté, une infinité de questions sans réponses. Peut-être a-t-elle ensuite apprécié cette absence de réponses – ce qui serait déjà un premier effet positif de la beauté. Ensuite est venu le moment de la pleine présence, de l'accueil de la beauté dans son mystère même : elle ne se posait plus aucune question ; elle contemplait. Il faut avoir beaucoup parlé pour apprécier vraiment le prix du silence. Il faut avoir beaucoup pensé pour aimer se mesurer à ce qui résiste à la pensée.

Finalement, il n'y a peut-être pas de contradiction entre cette idée d'une beauté mystérieuse et celle, hégélienne, d'une beauté qui serait l'« éclat du Vrai ». Au fond, nous ne comprenons pas ce que nous dit la beauté, mais nous sentons que ce qu'elle nous dit est vrai. La beauté est l'éclat du vrai – l'éclat *mystérieux* du vrai.

Je peux rester de longues minutes face à un polyptique noir de Pierre Soulages ou à une nature morte de Giorgio Morandi. J'aime les formes pleines de ce dernier, ces teintes passées, ces cruches, carafes, objets divers comme détachés de la chair du monde pour être présentés à notre regard. Bien sûr que ce type de beauté a du sens, qu'il s'inscrit dans une histoire de la nature morte, qu'il porte une réflexion sur ce qu'est un objet, sur la matérialité, sur la différence entre une chose et un corps humain, qu'il questionne différents modes de vie possibles... Mais c'est peut-être tout ce que je « pense » de cette beauté qui me permet, finalement, d'apprécier « ce qui reste » : une pure présence que je contemple sans réfléchir, et qui me renvoie à la mienne. Voilà encore une autre façon d'entendre « on n'a qu'une seule vie » : devant une nature morte de Morandi ou un paysage de Normandie, la vie de notre pensée nourrit notre capacité de présence pure. La vie de notre pensée et celle de notre perception, de notre corps donc, ne sont pas séparées. La beauté a ce pouvoir de me rendre à ma vie, pleine et changeante, multiple, en partie obscure à elle-même.

Penser que la beauté a du sens n'implique donc pas que son mystère soit dissipé. L'ambition de Kant lui-même n'est d'ailleurs pas de « résoudre » le problème de la beauté. Tout au plus essaie-t-il de s'y confronter honnêtement,

201

de constater ce qu'il est possible de constater :
la beauté d'un paysage naturel a ce pouvoir de
créer en moi une étrange et inhabituelle harmonie. Si Kant réussit à décrire cet état « bizarre »
de notre subjectivité, il laisse la beauté elle-
même à son secret. Nous restons devant elle tout
aussi fascinés, sans rien y comprendre de plus.
Peut-être même la beauté nous fascine-t-elle,
grâce à Kant, encore plus qu'avant : alors que
nous comprenons mieux ce qu'elle nous fait,
nous ne comprenons toujours pas ce qu'elle est.
L'analyse, ici encore, ne dissipe pas le mystère
– bien au contraire.

Quant à l'analyse freudienne, elle semble elle
aussi avoir pour effet de ne rendre que plus fas-
cinant ce qui lui échappe. Que Léonard de Vinci
ait sublimé ses pulsions sexuelles refoulées en
peignant *La Vierge, l'Enfant Jésus et sainte Anne*,
que nous-mêmes sublimions les nôtres le temps
de notre émotion contemplative, bref que la
beauté soit l'occasion d'un investissement libidinal, tout cela est probable. Il en ressort que la
beauté est un leurre. Il y a du génie dans cette
interprétation freudienne : nous sommes fas-

cinés davantage par ce que la beauté nous cache que par ce qu'elle nous montre. Mais cette interprétation laisse dans l'obscurité nombre de questions essentielles. De quelle nature est cette jouissance inconsciente que la beauté nous procure ? Ressemble-t-elle d'une manière ou d'une autre à la mort ? Freud y voit une satisfaction détournée de pulsions refoulées mais nous peinons à comprendre vraiment ce qu'est une pulsion. Nietzsche déjà, avant Freud, utilisait le terme de « pulsions », mais en précisant qu'il ne s'agissait que de métaphores échouant à nommer cette insaisissable vie en nous. Grâce à Freud, nous sentons que l'émotion esthétique n'est pas superficielle, qu'elle touche les profondeurs de la vie en nous, mais sans être vraiment plus éclairés sur la nature de cette profondeur. Nous sentons que Freud a raison : la beauté nous montre quelque chose pour nous cacher autre chose. Mais que nous montre-t-elle ? Et que nous cache-t-elle ? La question demeure ouverte.

Me reviennent soudain ces fameux vers de Rimbaud, situés au début d'*Une saison en enfer* : « Un soir, j'ai assis la Beauté sur mes genoux.

– Et je l'ai trouvée amère. – Et je l'ai injuriée. »
Que veut dire Rimbaud ? Quelle est donc cette
beauté « amère » qu'il injurie ainsi ? Peut-être la
beauté trop « explicable », celle qui ne dérange
pas, convenue, qui n'éveille pas l'esthète en sa
liberté subversive et infinie, mais qui est décré-
tée telle par la société, par sa conformité à des
critères, à une norme du goût, ou justement à
un sens. La beauté « amère », c'est la beauté
réduite à son sens. Rimbaud injurie la beauté
sans mystère. Nous serions tombés dans ce
travers, n'aurions rencontré qu'une beauté
« amère », si nous avions présenté les apports
kantien, hégélien puis freudien comme des
explications de la nature de la beauté, et de son
effet sur nos vies humaines. Heureusement,
leurs éclairages magistraux ont pour conséquence principale d'épaissir le mystère.

Ils l'épaississent chacun séparément ; ils
l'épaississent plus encore lorsqu'ils sont articulés
ensemble, d'autant qu'ils peuvent être combinés
de multiples façons, aucune ne l'emportant a
priori sur les autres. Nous pourrions par exemple affirmer que, lorsque survient l'émotion
esthétique, l'apaisement décrit par Kant et le

rapport aux valeurs analysé par Hegel ont pour fonction de nous cacher la jouissance inconsciente dont parle Freud. Mais nous pourrions tout aussi bien prétendre que la sublimation de la libido évoquée par Freud et l'accès sensible au sens qui émerveille Hegel produisent un « résultat », qui est précisément le sentiment de paix dont parle Kant. Ou alors que c'est notre rapport au sens, aux valeurs, qui est premier, et que nous n'éprouvons un sentiment de paix, ou même une satisfaction libidinale, que parce que nous avons d'abord, comme le pense Hegel, rencontré le sens sous une forme sensible. Nous pourrions les opposer, donner l'avantage à l'un comme à l'autre, mais nous pourrions tout aussi bien penser qu'ils nous disent, au fond, la même chose, rencontrent une même étrangeté, qu'ils nomment tantôt « harmonie interne du sujet », tantôt « dimension spirituelle de la sensibilité », tantôt « sublimation de sa libido » – une même étrangeté qu'ils approchent par leurs concepts mais qui, en dernier ressort, ne se laisse pas saisir.

Plus loin dans *Une saison en enfer*, Rimbaud affirme, comme en écho à ses vers d'ouverture :

« Je sais aujourd'hui saluer la beauté. » Il le sait, mais à l'issue d'un cheminement, d'une aventure douloureuse et violente. Il lui a fallu apprendre. Apprendre à s'émanciper de ce qui enserre, définit, rassure, pour être enfin capable de « saluer la beauté ». C'est cette phrase de Rimbaud qui a surgi, que j'ai entendue dans cette eau froide de Normandie, lorsque mes yeux se sont détachés de la falaise illuminée et que j'ai décidé de rentrer. C'est elle aussi qui me guide vers la fin de cet essai. Apprendre à saluer la beauté, c'est apprendre à se tenir face à son mystère sans vouloir le réduire ni l'expliquer, apprendre à l'accueillir. Et l'accueillir, c'est plus que le contempler : c'est y participer.

Voilà qui pourrait nous inviter à dépasser la notion de jugement que nous évoquions au début du livre. Lorsque nous « jugeons » que c'est beau, nous restons encore dans une position d'extériorité par rapport à ce qui est beau : nous n'y participons pas vraiment ; nous n'*habitons* pas la beauté. Or, nous sentons bien, dans nos expériences esthétiques les plus fortes, que nous soyons absorbés dans la contemplation de la nature, plongés dans l'écoute d'un concerto de Bach ou invités dans la lumière mystique du *Ordet* de Dreyer, que nous sommes davantage « dans » la beauté que « face » à elle. Affirmer que « c'est beau » risque alors de paraître trop froid, d'échouer à dire la force pénétrante de l'expérience esthétique. D'où la tentation de rester silencieux pour accueillir ce qui est, et y participer vraiment. C'est ce qu'écrit très bien François Jullien : « "Beau" ne serait-il pas déjà trop *dépris* ? Trop distancié et recomposé ? Ne ferait-il pas déjà barrage à ma découverte improvisée du monde en s'apposant brutalement sur lui ?[1] » L'émotion esthétique nous permet peut-être, comme on l'a vu, de retrouver notre liberté de jugement – c'est nous et nous seuls qui jugeons que « c'est beau » –, mais elle fait plus que nous apprendre à juger : elle nous apprend à habiter le monde. C'est pourquoi toute musique, quand elle est bonne, devient celle de notre vie. Finalement, la beauté qui nous fascine ne peut être simplement « contemplée ». L'aimer vraiment, c'est y participer. La beauté ne se « regarde » pas ; elle se

---

1. François Jullien, *Cette étrange idée du beau*, Grasset, 2010.

vit. Apprécier un tableau, c'est entrer dans son cadre. Regarder un grand film, c'est devenir acteur : impossible d'en suivre le déroulement de l'extérieur, en simple spectateur. Contempler un beau paysage, c'est en faire partie. Voilà la force de la beauté : elle nous rappelle que nous pouvons habiter le monde.

Cette idée que la beauté nous aide à habiter le monde peut se traduire très concrètement. Marc est dans son salon, écoutant Jacques Brel chanter *Amsterdam*. À vrai dire, il fait plus qu'écouter : il chante, il hurle, il jette ses bras vers le plafond en se souvenant de ces images de Brel sur scène, trempé de sueur, il est dans la chanson, complètement parti avec les marins et les prostituées, il est à Amsterdam, à Hambourg ou ailleurs – et pourtant il est dans son salon, il y est même beaucoup plus que les instants d'avant. La beauté, en nous transportant ailleurs, en nous parlant d'un ailleurs, nous aide à être ici. Elle intensifie notre présence au monde dans le moment même où elle nous en fait sortir. C'est ce qui se produit aussi lorsque nous contemplons un paysage : nous nous laissons glisser dans la rêverie, la beauté des montagnes invite notre esprit à voguer librement, l'invite vers l'ailleurs – et c'est alors que nous nous sentons vraiment présents, que nous habitons pleinement ce paysage, ce monde. Nous avons déjà cité ces mots de François Cheng, selon qui la beauté naturelle tout en nous procurant un fort sentiment d'exister, « rappelle un paradis perdu ou appelle un paradis promis ». Ces mots disent bien que, dans la contemplation de la beauté, nous sommes à la fois attirés vers cet ailleurs des paradis promis et renforcés dans notre présence, ici et maintenant. Nous retrouvons donc cette idée d'une forme de présence intensifiée par une expérience de l'absence. Nous avons besoin de la beauté pour habiter le monde de cette manière singulière : dans cette présence-absence au monde qui est peut-être le propre de l'homme, le distingue des autres mammifères, simplement présents au monde.

Chez Platon, déjà, dans la partie de son œuvre où il ne disqualifie pas la beauté mais y voit un indice de la vérité, on trouvait une idée analogue. La beauté d'un homme, la perfection des proportions de son corps, est aussi présentée, dans *Le Banquet*, comme le symbole d'une Idée supérieure, brillant d'une lueur éternelle, là-bas, dans l'au-delà du ciel des idées. Ainsi l'homme absorbé dans la contemplation du beau corps de son amant est-il invité à tourner ses yeux vers l'ailleurs de ce ciel des idées et, dans le même temps, rendu à sa présence effective, désirante. Mieux : plus il voit dans ce corps aimé un chemin vers l'Idée même du beau, située ailleurs dans le ciel éternel, plus il le désire effectivement, ici et maintenant. C'est ce qui inspire à François Jullien ces lignes magnifiques : « Tout en relevant de ce lieu des idées, le beau est seul inscrit au sein du sensible […], il porte d'autant mieux le visible à sa visibilité qu'il appelle à y renoncer. De cette contradiction révélée par le beau, Platon n'a fait rien de moins, en tirant le fil, que ce qui serait la condition humaine : comme nous l'apprend le beau, l'homme est l'être qui porte en lui de l'ailleurs […] ; il participe à la fois de l'ici et de Là-bas. Par ce que le beau lui révèle de Là-bas, il ne peut se contenter de l'ici ; de ce frôlement d'un ailleurs, déjà il frissonne. […] : je me sens d'autant plus présent au monde que je le quitte. »

Être humain, c'est être ici en même temps que tenté par là-bas. Il nous faudrait alors, pour vraiment habiter l'ici, qu'une fenêtre soit ouverte sur là-bas – et c'est peut-être le rôle de la beauté. La beauté nous appelle, nous qui avons besoin d'être appelés pour nous sentir exister, nous qui ne pouvons nous contenter du petit monde qui est le nôtre. Voila pourquoi l'émotion que la chanson de Jacques Brel donne à Marc, en l'emportant à Amsterdam, le rend aussi plus présent dans son salon, dans son existence. On pourrait croire le contraire : qu'en partant ailleurs, en se retrouvant dans le port d'Amsterdam, il quitte simplement son monde, y soit moins présent, tout entier envolé dans celui de Jacques Brel. C'est aussi ce que pourrait donner à penser la phrase de François Jullien si on ne la lisait qu'à moitié : « par ce que la beauté lui révèle de Là-bas, il ne peut se contenter de l'ici »… Mais la phrase n'est pas terminée, elle se poursuit ainsi : « de ce frôlement d'un ailleurs, déjà il frissonne ». Il frissonne ici et maintenant grâce à la beauté qui lui permet d'assumer son attirance pour l'ailleurs, comme Marc frissonne, ici et maintenant, quand Brel chante l'ailleurs et l'appelle à Amsterdam. Voilà notre manière d'habiter le monde : celle d'un animal intranquille « qui porte en lui de l'ailleurs ». Nous ne pouvons alors être vraiment présents que lorsque la beauté nous offre la chance de pouvoir entrevoir cet « ailleurs ». D'où la conclusion de François Jullien : « je me sens d'autant plus présent au monde que je le quitte ».

De plus, s'il peut nous sembler, au cœur de l'émotion esthétique, que nous quittons notre monde quotidien pour entrer dans celui de l'artiste, il n'y a de toute façon qu'un monde ! Si donc nous voulons « habiter le monde », il nous faut bien sortir de notre environnement restreint pour habiter Amsterdam avec Brel et Miami avec Booba, Hollywood avec David Hockney et la Provence avec Cézanne, Alger avec Camus et Brest avec Genet. Le monde objectif n'existe pas : il n'y a que des mondes perçus. Et c'est l'entrelacement de tous ces mondes perçus qui constitue *Le monde*. Entrer par la beauté dans un autre monde perçu nous enrichit déjà, ouvre notre sensibilité en la libérant de ses réflexes et habitudes. Multiplier les rencontres avec le plus d'autres mondes perçus possible est la seule manière d'espérer rencontrer *le* monde, d'espérer l'habiter. L'émotion esthétique, ici encore, a pour vertu de nous faire exister plus pleinement, mais en un sens nouveau : la fréquentation de toutes ces beautés artistiques différentes, renvoyant chaque fois à une vision du monde, nous fait exister dans un monde plus vaste – nous permet d'être au monde, au sens propre, et non plus simplement dans son environnement. Car ce n'est peut-être que cela, *le monde* : la somme de toutes les visions subjectives que nous en avons, et dont les artistes font des œuvres.

Il y a une dernière façon d'entendre cette capacité de la beauté à renforcer notre présence au monde, et d'entendre aussi, en jouant avec elle, l'affirmation de François Jullien – « je me sens d'autant plus présent au monde que je le quitte » –, c'est d'envisager le moment du « retour », l'instant où prend fin ce voyage qu'est l'émotion esthétique. Pourquoi, par exemple, nous souvenons-nous si bien de la salle de cinéma où nous avons vu un beau film, de l'ambiance qu'il y avait juste après, sur le trottoir, du temps qu'il faisait ce jour-là, des mots que nous avons échangés avec nos amis ? Peut-être parce que l'émotion esthétique nous installe dans une intensité d'existence, aiguise nos facultés, si bien que, le plaisir esthétique passé, nous demeurons encore en éveil, comme rendus plus vivants par la rencontre du beau. Prolongeons donc la phrase de François Jullien : « je me sens d'autant plus présent au monde que je le quitte »... et y reviens, l'instant d'après, agrandi, éveillé, guéri de mon incapacité à être au monde. Comme si d'avoir été absent nous rendait capable d'une présence nouvelle. Notre présence-absence au monde se décomposerait alors en deux moments : une absence contemplative, puis une présence intensifiée. Il se produit un phénomène analogue lorsque, plongés dans la lecture d'un beau roman, nous le posons finalement. Nous sommes encore un peu absents, encore dans le roman, mais c'est alors que nous remarquons autour de nous, dans l'agencement de la pièce, dans l'attitude d'un proche, dans les feuilles d'un arbre aperçu par la fenêtre, quelque chose d'étrange et de précis qui ne nous était, auparavant, jamais apparu. Si nous sommes, comme l'écrit joliment François Jullien, ces êtres qui « portent en eux de l'ailleurs », alors il ne faut pas s'étonner que la présence pure et pleine nous soit impossible, et que nous ayons besoin d'un peu de cette absence, de cet appel d'un « ailleurs », pour intensifier notre présence au monde.

Il existe, entre la beauté et l'intensité de l'être, une relation particulière sur laquelle, étonnamment, peu de choses ont été écrites. Que le plaisir esthétique permette aux individus que nous sommes d'exister plus intensément, cela est entendu. Mais il y a autre chose : et si le monde, lui aussi, avait besoin de la beauté pour « être » plus intensément ? Nous avons déjà évoqué ce brusque changement de luminosité capable de transfigurer la banalité, ces quelques rayons de soleil perçant soudain les nuages, déferlant comme une joie liquide et rehaussant, avec une même autorité, l'azur du ciel et le bleu turquoise de la mer. N'est-ce pas comme si le monde, alors, se mettait à « être » plus fort ? Ne serait-il pas en train, dans son scintillement même, d'exister plus intensément ? J'aurais envie d'ajouter : la beauté n'intensifie-t-elle pas l'être du monde en même temps que son mystère, que son étrangeté ? Nous obtiendrions alors l'équation métaphysique suivante : plus le monde est beau, plus il est mystérieux, plus il « est ». « Perdre de la beauté, c'est aussi manquer d'être », écrivait malicieusement Plotin au IIIᵉ siècle après Jésus-Christ... Cette piste ouvertement métaphysique n'est bien sûr pas l'objet du présent livre : nous nous attachons ici aux effets de la beauté sur nos existences, à notre besoin de beauté, non au besoin que le monde lui-même aurait de la beauté ! Mais les deux sont liés : n'est-ce pas de contempler un paysage soudain gagné par « une intensité d'être » nouvelle qui nous remplit en retour d'une semblable intensité – ce qui se nommerait bien, en effet, « être au monde » ? Admirer le pouvoir d'un rayon de soleil de transfigurer un paysage ne peut-il faire jaillir en nous l'espoir de notre propre transfiguration intérieure ?

Ce n'est pas tout : cette éclosion de la beauté dans le paysage naturel, en manifestant la créativité de la nature elle-même, n'est-elle pas justement ce qui inspire les artistes ? Ainsi Aristote comprend-il l'idée rebattue d'un artiste imitant la nature. Imiter la nature, selon lui, ne revient pas à se contenter de reproduire ce qu'on y voit – ce qui n'aurait pas d'intérêt et réduirait l'art à de l'habileté. Imiter la nature signifie : imiter la manière dont la nature est créatrice. Imiter la manière dont la nature, dans la beauté, vibre d'une vie nouvelle. Imiter, donc, ce qui est par nature inimitable : le mystère d'une nature créatrice. Belle définition de l'art. Et de la vie. Lorsque nous admirons la beauté naturelle, nous contemplons le pouvoir créateur de la nature. Lorsque nous admirons des œuvres humaines, nous contemplons la manière dont les artistes s'en inspirent. Dans tous les cas, nous avons besoin de beauté pour approcher le mystère même de la vie : cette puissance d'inventivité pure. Contempler la manière dont, dans la beauté, la vie se réinvente, c'est se remplir de l'idée que nous pouvons nous aussi nous réinventer.

Affirmer comme Plotin que « la beauté rend l'être plus intense » permet enfin d'éclairer la relation de la beauté à la mort. Nombreux sont les poètes à avoir pensé une parenté entre elles, à avoir vu dans la beauté, dans son calme si étrange parfois, quelque chose comme le dévoilement mystérieux du secret de la mort. Victor Hugo[1] écrit par exemple :

> La mort et la beauté sont deux choses profondes
> Qui contiennent tant d'ombre et d'azur qu'on dirait
> Deux sœurs également terribles et fécondes
> Ayant la même énigme et le même secret

Dire que la beauté fait songer à la mort, ou que le plaisir esthétique laisse entrevoir quelque chose de la mort, pourrait d'abord sembler contredire ce que nous avons défendu dans ce livre : nous avons en effet présenté le plaisir esthétique davantage comme une invitation à embrasser le mouvement même de la vie que comme une manière d'entrevoir le visage de la mort. Mais si le plaisir esthétique est, comme l'affirme Freud, associé à la fin provisoire de ce

---

1. Victor Hugo, *Poésies complètes*, tome III, Seuil, 1972, poème XXXIV, « Ave, dea ; moriturus te salutat ».

conflit, propre à notre vie humaine, entre notre « Ça » et notre « Surmoi », alors il pourrait en effet nous permettre d'entrevoir ce que serait la mort : la fin définitive de tous les conflits en nous. Et il y aurait dans l'apaisement que prodigue le plaisir esthétique comme un avant-goût de cet apaisement définitif qu'est la mort. L'émotion esthétique pourrait alors être à la fois un instant d'intensification de notre existence et un avant-goût de notre mort.

Mais la beauté nous parle aussi de la mort d'une tout autre façon. En emplissant l'être du monde, et le nôtre, d'une intensité nouvelle, la beauté nous donnerait plutôt la force de nous opposer à la mort, ou au moins d'y penser sans trop trembler. Reprenons l'exemple de la sublime baie corse. Le moment est très particulier : c'est une lumière de fin de journée, comme si le scintillement redoublait juste avant de diminuer, juste avant que le soir ne rende la baie à sa banalité. Lucie sait l'émotion que cette vue lui procure éphémère ; elle sait son éblouissement passager. Elle sait que la lumière va décliner et que tout cela va prendre fin, que cette beauté – la beauté de cet instant et de cette lumière-là – va « finir ». Mais cela ne la dérange pas. Elle accepte l'idée d'une beauté éphémère. Probablement même cette beauté l'est-elle d'autant plus que, précisément, elle ne va pas durer. C'est comme si la beauté nous donnait la force de faire face à l'idée que les choses finissent. Ici encore, nous semblons parvenir à côtoyer, dans l'expérience esthétique, ce que nous préférons d'habitude fuir.

Il nous est le plus souvent difficile d'envisager la fin de ce qui nous est cher : une histoire d'amour, notre vie, celle de nos enfants. Que signifie donc le plaisir que nous prenons à contempler quelque chose que nous savons éphémère ? Peut-être sommes-nous en train d'apprendre à nous réjouir de *ce qui est*, de comprendre que la simple existence de ce qui nous est cher est déjà une chance – et peut-être que cela nous aidera à combattre notre angoisse de perdre ceux qui nous sont chers. Dans le plaisir esthétique, avons-nous souvent écrit, nous sommes satisfaits et « ne demandons rien de plus ». Nous ne demandons pas qu'il dure éternellement. Cette baie scintille et c'est comme si la lumière avait avalé tout le bruit : même les mouettes planent en silence. Que cela soit, c'est déjà énorme – voilà ce que la beauté nous dit. La fin ne changera rien à ce qui a été. Ce qui a eu lieu a eu lieu *pour toujours*. L'émotion esthétique pourrait nous aider à embrasser cette idée plus générale : la mort n'effacera jamais ce qui a été. Ce qui a été aurait pu ne pas être, apprenons donc déjà à saluer ce qui est. Bien évidemment, il est plus difficile de se satisfaire de ce raisonnement en pensant que « ce qui a été » n'est pas « la belle lumière du soir sur une plage » mais « mon existence » ou « la vie de mon enfant », surtout lorsqu'elles s'interrompent trop tôt. Tel serait pourtant, selon Épicure, le secret du bonheur : apprendre, en mesurant combien cela aurait pu ne pas être, à se réjouir de ce qui est. C'est ce que la beauté peut nous enseigner, elle qui par définition aurait pu ne pas être : il eût suffi que la lumière fût autre, le peintre maladroit, ou que je passe mon chemin. La beauté, d'une certaine manière, provoque la mort. C'est comme si la beauté regardait la mort en face et lui disait : « Tu peux toujours venir, tu ne pourras jamais enlever le fait que *j'ai été*, il y aura eu au moins "ça". » La beauté nous délivre le secret d'une existence éblouie, elle nous donne la force d'opposer à la mort cet éblouissement même.

C'est exactement ce qu'éprouvent Lucie et son mari sur cette plage corse : quel que soit l'avenir, il y aura eu au moins « ça ». Ils ne savent pas de quoi est fait leur amour ; ils ne savent pas s'il va durer. Mais, pour une fois, cela ne les gêne pas : ils sont tellement bien, là, maintenant, à s'aimer maintenant, que la question du sens de leur amour ne se pose pas. Ne se pose plus. Leur amour mourra peut-être, mais rien ne pourra faire qu'il n'ait pas été. Le fait qu'il a été durera pour toujours.

Ainsi retrouvons-nous cette idée, chère à Platon, que le beau initie, éduque, nous apprend quelque chose d'essentiel. Mais là où Platon y voyait, dans *Le Banquet*, une éducation au Bien, nous y voyons autre chose. La beauté nous apprend à accueillir le mystère du monde en même temps que le nôtre ; la beauté nous apprend à aimer ce qui est. Et si la beauté nous apprenait tout simplement à aimer ?

Trop souvent la passion de posséder nous empêche d'aimer correctement. C'est une des difficultés de la vie de couple : aimer l'autre sans vouloir le posséder, savoir donner son amour sans exiger de l'autre qu'il nous appartienne en retour – difficulté qu'exprime bien l'expression « mon amour ». Lors d'une de ses séances d'analyse, Marc a compris combien il avait été possessif avec son ex-femme. Finalement, c'était probablement pour cette raison qu'il cherchait à se rassurer en séduisant d'autres femmes. Au fond, si paradoxal que cela puisse paraître, il avait peur que sa femme lui échappe et cherchait à vérifier sans cesse son potentiel de séduction.

La beauté, elle, ne peut se posséder. Qui pourrait bien penser que cette baie corse est « à lui », et qu'elle lui appartient encore plus en fin de journée quand la lumière est la plus belle ? Jamais Lucie n'imaginerait que le concerto pour quatre pianos de Bach lui appartient, que cette beauté est pour elle et elle seule. C'est la magie de la beauté : elle nous parle à nous, intimement, mais nous ne nous en sentons pas propriétaires pour autant. Elle nous apprend à aimer sans posséder. Voilà peut-être ce que la beauté nous rappelle, chaque fois qu'elle nous appelle : l'amour authentique est amour de ce qui ne nous appartient pas, de ce qui nous échappe, garde sa part d'inconnu et de mystère. Nous voudrions – c'est notre nature – posséder ce que nous aimons, comme ces maris n'aimant jamais autant leurs femmes que lorsqu'ils y voient un trophée personnel. Mais on n'achète pas la beauté, et on ne possède personne. C'est d'ailleurs probablement le sens véritable des prix records atteints par certaines œuvres d'art : 120 millions de dollars pour une version du *Cri* de Munch, 104 millions peu de temps avant pour une statue de Giacometti... Et si de tels montants indiquaient paradoxalement que l'art n'a pas de prix, que sa valeur est inestimable, que la beauté n'appartient à personne ? Ils manifesteraient alors, dans leur démesure même, l'effort, voué à l'échec, de celui qui voudrait posséder ce qui n'a pas de prix. Mais *Le Cri* continuera à se perdre dans le ciel, offert à toutes les oreilles qui sauront l'entendre, à tous les yeux qui sauront le voir – qui sauront aimer une beauté qui leur *échappe*. Dure vérité pour son acheteur, pour nous tous aussi, car il est dans notre nature de vouloir posséder, la possessivité faisant même partie selon Freud des pulsions primaires dont nous avons évoqué le refoulement. Mais le plaisir esthétique est justement une sublimation de ces pulsions primaires refoulées. Au même titre qu'il permet de satisfaire de manière non sexuelle des pulsions sexuelles refoulées, il permet de satisfaire une possessivité refoulée mais sans rien posséder, par la simple contemplation désintéressée. Nous sentons bien en effet, lorsque nous sommes appelés par la beauté des falaises de Varengeville ou par celle, universelle et déchirante, du *Cri* de Munch, qu'une telle beauté ne nous appartient pas, et pourtant nous l'aimons ; nous l'aimons même d'autant plus qu'elle ne nous appartient pas. Et si c'était cela, l'amour : « Se donner, comme l'écrit Jean-Luc Nancy, à quelqu'un qui restera toujours absolument inconnu[1] » ? Cela, Marc l'a compris le jour où il est entré par hasard dans l'église Saint-Eustache. Une musique s'élevait, qu'il ne comprenait pas et ne cherchait pas à comprendre. Une musique qui n'était pas pour

---

1. Jean-Luc Nancy, *La Beauté*, Bayard, 2008.

lui, qui n'était pas *à lui*, et qu'il aimait follement.
C'était comme si la beauté d'un concert impro-
visé lui avait soufflé la vérité de l'amour.

La beauté nous apprend à aimer sans posséder
comme elle nous apprend à aimer sans comprendre. Saluons-la, saluons-la vraiment, imitons le
geste de Rimbaud : elle nous lave de nos réflexes
d'intellectuel ou de propriétaire, nous sauve de
notre possessivité, de notre rationalisme étriqué
– de notre obsession de la maîtrise. L'époque est
relativiste, la beauté nous rappelle que s'agite au
fond de notre âme un désir de partage. L'époque
est réaliste, la beauté nous rappelle que le merveilleux existe. L'époque est au blasement mais
la beauté est là, partout, qui nous appelle, nous
propose de troquer l'ironie contre l'éblouissement. Elle nous guérit, elle nous aguerrit : elle
nous donne la force d'aimer ce qui est en même
temps que celle d'espérer ce qui pourrait être.
Elle nous réapprend à habiter un monde auquel
nous sommes de plus en plus étrangers. Elle nous
rend au monde, à la vie, à nous-mêmes et aux
autres – à notre puissance d'exister. Elle nous
donne tant et nous demande si peu : juste
d'ouvrir les yeux et de contempler.

Lucie et son mari sont venus écouter leur fils. Chaque année, au début du mois de juin, le professeur de piano réunit ses élèves chez lui pour une petite fête où ils jouent devant un public composé des parents, amis et anciens élèves. L'ambiance est en général très bonne : classique, jazz, salsa… Il a tous types d'élèves, de quatre à quatre-vingt-quatre ans, qu'il accompagne à la batterie pendant que les autres boivent du sancerre blanc ou du rosé de Provence. Le fils de Lucie suit ses cours depuis six ans et improvise avec talent. Il est prévu qu'il joue à la fin. Dans la voiture, juste avant de se garer, Lucie et son mari se sont disputés. Ils se sont dit des choses blessantes qu'ils ont immédiatement regrettées, et ont fini par garder le silence. Ils songent maintenant à leur vie, debout, accrochés à leurs gobelets de plastique, tandis que les plus jeunes élèves se relaient au piano. Ils ne le savent pas, mais leurs pensées empruntent des chemins analogues : une solution est d'abord envisagée, et puis se dresse le mur de l'impossible. Lucie rêve un instant à un retour de leur passion d'antan. Elle songe à ces paroles de Jacques Brel : *On a vu souvent rejaillir le feu / D'un ancien volcan qu'on croyait trop vieux.* Puis elle se dit que c'est impossible. Pas dans l'absolu, mais pour eux. C'est pire. Au même moment, son mari s'imagine annoncer à son patron qu'il démissionne, puis annoncer à Lucie la bonne nouvelle dans la foulée : ils peuvent enfin partir pour l'étranger. Mais il revient très vite à la réalité : il ne prendra jamais une telle décision. Pendant ce temps, une jeune fille d'une quinzaine d'années interprète la *Gnossienne n° 1* d'Erik Satie : elle joue beaucoup trop vite, comme si elle voulait se débarrasser d'un exercice. Elle n'y met rien d'elle-même. L'homme qui se tient debout à côté du mari de Lucie, c'est Marc. Il est venu écouter sa sœur. Lucie et son mari ne le connaissent pas. Marc est songeur lui aussi. Il pense à toutes ces années passées en analyse… Combien d'années, d'ailleurs ? Il préfère ne pas le savoir. Le progrès est mince… Pas nul, mais vraiment mince. Il ressent une fatigue soudaine. Lui aussi voit se dresser devant ses perspectives de bonheur quelque chose qui ressemble fort à un mur. La jeune fille a fini d'expédier la *Gnossienne n° 1* de Satie. Elle devrait se lever, céder sa place à l'élève suivant, que chacun espère plus inspiré. Mais elle reste assise, interdite. Elle jette un regard à son professeur et ses doigts se posent à nouveau sur le piano. Elle commence à jouer une autre *Gnossienne* : la n° 3. Elle pose mieux les accords dans les graves, laisse sa main droite se promener en haut du clavier et, très vite, c'est comme si c'était une autre qui jouait. Même les mouvements de son buste deviennent beaux à regarder ; elle interprète avec son cœur, avec ses mains, avec son corps tout entier. Ceux qui sont bien placés peuvent observer la danse de son pied, qui va et vient sur la pédale, joue avec la sourdine pour doser les effets. Tout a changé maintenant : elle est visitée par Erik Satie, sa main droite se déplace sur le clavier avec une infinie délicatesse tandis que la *Gnossienne* emplit la pièce, s'élève et se déploie dans toute la beauté triste de son mode mineur. C'est comme si Lucie, son mari et Marc assistaient, fascinés, à l'effondrement du mur : soudain, tout redevient possible.

Remerciements

Ce livre doit beaucoup aux conférences que j'ai animées aux « Mardis de la philo » et devant les chefs d'entreprise de l'APM (Association pour le progrès du management).

« Pourquoi la beauté nous fascine-t-elle ? » : telle est la question que j'ai traitée aux « Mardis de la philo » durant le semestre où je découvris ce public chaleureux et exigeant. Merci à ces auditeurs pour leur qualité d'écoute et la pertinence de leurs questions.

« Beauté et décision, beauté de la décision » : c'est autour de cette question que j'ai rencontré chaque mois, pendant plus de quatre ans, les dirigeants de l'APM pour interroger leurs pratiques, leurs valeurs, leur époque. Merci à ces adhérents pour ce qu'ils m'ont apporté, opposé, objecté, notamment en me livrant leurs expériences personnelles d'émotion esthétique.

Merci aussi à Antoine Caro, mon éditeur, pour l'efficacité de ses relectures, son enthousiasme et sa délicatesse d'esthète.

Merci à Jeanne Pallares pour le sens du mystère et pour le surf blanc, qui ont su me porter vers le quatrième et dernier moment de cet essai.

Merci à Philippe Nassif pour tous nos échanges sur la vie esthétique, pour sa sagesse sensible et sa très belle pensée du rythme.

Merci à Guillaume Allary pour ces vingt ans de discussion sur la beauté et le snobisme, le plaisir esthétique et le goût – vingt ans à fourbir, grâce à lui, les armes pour le contredire...

Merci enfin à mes enfants, Victoria, Marcel et Georgia, qui se souviendront peut-être, lorsqu'ils liront ce livre, d'une histoire que je leur racontais souvent le soir, pour les endormir : deux petits canards se querellant sur la beauté de leur mare...

Table

Vous pouvez retrouver Charles Pépin
chaque lundi à 18 heures,
au mk2 Hautefeuille de Paris,
pour un cours de philosophie ouvert à tous.
(mk2.com)

Cet ouvrage a été imprimé
en janvier 2013 par

FIRMIN-DIDOT

27650 Mesnil–sur–l'Estrée
N° d'édition : 52909/01
N° d'impression : 115278
Dépôt légal : février 2013

Imprimé en France

*Composition réalisée par PCA
44400 Rezé*